CHRISTINE DE PISAN

DU MÊME AUTEUR

LUMIÈRE DU MOYEN AGE
Grasset, 1947. Rééd. 1981.

LES STATUTS MUNICIPAUX DE MARSEILLE
Édition critique du texte du XIIIᵉ siècle,
coll. « Mémoires et documents historiques »,
Paris-Monaco, 1949.

VIE ET MORT DE JEANNE D'ARC
Les témoignages du procès de réhabilitation,
Hachette, 1953 ; rééd. 1980.

LES CROISADES
Julliard, coll. « Il y a toujours un reporter »
dirigée par Georges Pernoud, 1960.

HISTOIRE DE LA BOURGEOISIE EN FRANCE
Tome I. *Des origines aux temps modernes.*
Tome II. *Les Temps modernes.*
Éd. du Seuil, 1960-1962 ; rééd. 1977. Rééd. Points Histoire 1981.

JEANNE D'ARC PAR ELLE-MÊME ET PAR SES TÉMOINS
Éd. du Seuil, 1962 ; rééd. Livre de vie, 1975.

ALIÉNOR D'AQUITAINE
Albin Michel, 1966.

8 MAI 1429, LA LIBÉRATION D'ORLÉANS
Gallimard, coll. « Trente journées qui ont fait la France », 1969.

L'HISTOIRE RACONTÉE À MES NEVEUX
Stock, coll. Laurence Pernoud, 1969.

HÉLOÏSE ET ABÉLARD
Albin Michel, 1970. Rééd. Livre de poche, 1980.

JEANNE DEVANT LES CAUCHONS
Éd. du Seuil, 1970.

BEAUTÉ DU MOYEN AGE
Gautier Languereau, 1971.

LA REINE BLANCHE
Albin Michel, 1972.

LES TEMPLIERS
P.U.F., coll. « Que sais-je ? », 1974.

POUR EN FINIR AVEC LE MOYEN AGE
Éd. du Seuil, 1977.

LES HOMMES DE LA CROISADE
Tallandier, 1978.

LES GAULOIS
Éd. du Seuil, 1979.

Avec Madeleine Pernoud

SOURCES DE L'ART ROMAN
Berg International, 1980.

LA FEMME AU TEMPS DES CATHÉDRALES
Stock, 1980.

JEANNE D'ARC
Éd. du Seuil, 1981.

JEANNE D'ARC
P.U.F., coll. « Que sais-je ? », 1982.

RÉGINE PERNOUD

CHRISTINE
DE PISAN

CALMANN-LÉVY

Un livre présenté par
MICHEL CHABOT

A Maure, à Greg,
à tous les Pernoud d'Amérique
qui firent si bon accueil aux Pernoud de France
dans leur cité de Saint-Louis

ISBN 2-7021-0460-6

© CALMANN-LÉVY, 1982

Imprimé en France

CHAPITRE PREMIER

L'ENFANCE DE CHRISTINE

Nous devons bien sur tout autre dommage
Plaindre celui du royaume de France.

« L E roi est mort. »
De ville en ville, de château en château,
par voies et par chemins, la nouvelle se
répand : « Le roi est mort. »

Elle se propage d'un clocher à l'autre, scandée par le
glas qui lentement, à intervalles réguliers, répand pour
tous, gens des campagnes et des villes, la consternante
nouvelle, faisant se signer une multitude de fronts,
s'agenouiller dans les monastères et jusqu'au bord des
chemins, devant les croix qui s'y dressent, une multitude
d'êtres de toutes conditions, moines, clercs ou simples
gens. Le roi est mort.

Le roi de France en effet s'est éteint ce 16 septembre,
l'an 1380, dans son château de Beauté-sur-Marne. Cette
mort a surpris son entourage ; le roi n'avait que quarante-
quatre ans ; depuis deux à trois semaines on le savait

malade ; c'est probablement pour se remettre de cette
maladie qu'il avait quitté le château de Vincennes et
s'était rendu à celui de Beauté, admirablement situé,
séjour idéal où précédemment l'empereur Charles IV
arrivé, lui aussi, malade en France, s'était dit « guéri de
son mal grâce aux bienfaits de la région, à son bon air et à
son excellente exposition ». Charles V avait toujours été
de santé délicate ; mais on pouvait espérer qu'il ne
s'agissait que d'une faiblesse passagère ; on avait même
cru, la veille de sa mort, que tout danger était écarté ; le
dimanche au soir pourtant le roi rendait l'âme, après avoir
pris en toute lucidité ses dernières dispositions.

Nulle part sans doute, dans le royaume, la nouvelle ne
devait provoquer plus de consternation que dans la
famille de Thomas de Pisan, l'astrologue du roi et son
médecin. Thomas était présent à Beauté-sur-Marne ainsi
que l'autre « fisicien » (médecin) du roi, Gervais Chrétien ; peut-être même est-ce lui qui, interprétant mal
quelques signes trompeurs — apparence de santé revenue
ou calculs astrologiques ? on ne sait — avait cru pouvoir,
dans la soirée du samedi, vers le coucher du soleil,
affirmer que le roi était hors de danger. Il semble avoir
éprouvé par la suite le regret de s'être senti insuffisant en
cette circonstance ; sa science avait été mise en défaut. Ou
peut-être l'astrologue avait-il pris ses désirs pour des
réalités. Car c'est avec beaucoup de tristesse et d'abatte-
ment que, rentré chez lui, Thomas de Pisan racontait aux
siens les derniers moments du roi, prévoyant — et en cela
il ne se trompait pas — que sa mort n'allait pas tarder à le
priver de la faveur dont il avait joui jusqu'alors à la Cour

de France et grâce à laquelle il menait une existence
dorée.

C'était le roi Charles V, en effet, qui l'avait fait venir de
sa ville de Bologne — Bologne-la-Grasse, disait-on en
Italie — pour demeurer à ses côtés « comme supellatif
astronomien ». Le roi, imitant en cela la plupart de ses
ancêtres, avait fait « en tout pays quérir et chercher et
appeler à soi des clercs solennels et philosophes, fondés
en science mathématique et spéculative ». Thomas de
Pisan faisait partie de ces « supellatifs » invités à la Cour
de France ; il avait fait ses études à Bologne dont
l'université était fameuse ; puis, appelé au service de la
République de Venise, il s'y était marié avec la fille d'un
docteur en médecine rencontré dans les services de la
Sérénissime République, Thomas Mondini ; une fille
était d'abord née de ce mariage, durant le séjour à
Venise ; elle se prénommait Christine, et c'est d'elle que
nous tenons ce que nous savons de sa famille et du roi qui
la protégeait.

Christine était donc de ceux qui écoutaient le récit de
Thomas de Pisan à son retour de Beauté-sur-Marne, avec
sa mère et ses deux frères Paolo et Aghinolfo ; son époux
était là aussi car, fille charmante et très courtisée,
Christine était depuis un an mariée avec Etienne Castel, le
fils d'un valet de chambre du roi, et déjà s'annonçait pour
elle la naissance d'un héritier.

Pour comprendre l'émotion ressentie à la mort de
Charles V par cette famille d'Italiens acclimatée en

France, il faut se reporter à ce qui composait l'atmosphère royale en cette seconde moitié du xive siècle ; il y a pour nous six cents ans tout juste[1].

L'Histoire accole à ce roi l'épithète de : *Sage ;* et sans doute l'a-t-il méritée ; surtout si l'on entend le terme dans le même sens qu'en son temps à lui. Sage signifie alors : savant, autant que : prudent, ou réfléchi. On distingue généralement Charles comme le roi « Sage » dans la lignée des Valois à laquelle il appartient — les autres étant de piètres politiques, frivoles et brouillons. Son règne effectivement aura marqué une accalmie relative dans ce siècle de catastrophes mondiales qui fut le sien. L'engrenage des guerres arrêté quelque temps, les retours offensifs de la peste un peu moins fréquents — en bref une quinzaine, une vingtaine d'années pendant lesquelles les laboureurs ont pu récolter paisiblement ce qu'ils avaient semé : cela suffira, dans ce xive siècle si éprouvé, pour laisser le souvenir d'une trêve bienheureuse, un retour momentané aux temps d'autrefois, ceux de saint Louis que l'on n'évoque qu'avec une indicible nostalgie.

Et certes Charles V, tout le premier, connaissait le prix d'une telle accalmie. Sa jeunesse avait été irrémédiablement marquée par les visions tragiques. A onze ans il a vu les ravages de la peste noire sévissant jusqu'à la Cour royale, puisque sa grand-mère Jeanne de Bourgogne, l'épouse de Philippe VI de Valois, en est morte. A dix-

---

1. En 1981, une exposition intitulée « Les fastes du gothique » aura fait admirablement revivre cette atmosphère.

huit ans, il a vu son père emmené en Angleterre prisonnier après la désastreuse bataille de Poitiers. A vingt ans, il lui fallait faire face dans la capitale à la révolte des Parisiens ; Etienne Marcel faisait abattre sous ses yeux deux de ses fidèles maréchaux, Robert de Clermont et Jean de Conflans, tandis que son cousin Charles le Mauvais faisait cerner la ville par les troupes anglo-navarraises. Que son règne à lui ait fait l'effet du calme après l'orage, on pouvait lui en être reconnaissant — même si ce calme était plus apparent que réel, obtenu par une politique assez retorse et compensé par de lourdes impositions pesant sur le peuple.

Reste que pour son entourage ce prince se distingue par une extrême curiosité d'esprit, et que, non moins dépensier que les autres de sa lignée, il consacre en tout cas les deniers du royaume à des dépenses qui lui font honneur. On a pu reconstituer en partie sa bibliothèque — ou plutôt ses « librairies » — car les précieux manuscrits (plus de mille dont on ne conserve qu'une centaine identifiés de façon précise) sont répartis dans ses diverses résidences, à Melun, à Saint-Germain-en-Laye, mais surtout au Louvre, dans cette tour « devers la Fauconnerie » où il a fait transférer en 1367 la librairie créée un siècle plus tôt par saint Louis dans la Sainte-Chapelle du Palais de la Cité : trois étages à l'angle nord-ouest du Louvre de ce temps, sur l'emplacement de l'actuel pavillon de l'Horloge ; les murs étaient lambrissés de bois d'Irlande, la voûte charpentée de cyprès, les fenêtres tendues de fil d'archal en treillis — précaution très

habituelle d'ailleurs pour empêcher les oiseaux d'entrer
dans les maisons.

Et les ouvrages accumulés sur les pupitres et les « roues
à livres » ou dans les coffres révèlent les goûts de celui qui
les réunit. Il y a bien entendu les psautiers et les livres
d'heures dont beaucoup lui ont été transmis par les
princes et princesses de France ses prédécesseurs : Isam-
bour, l'épouse du roi Philippe Auguste, saint Louis ou sa
sœur Isabelle, les bréviaires comme celui qui lui vient de
Philippe le Bel ou encore de Jeanne de Belleville, ou de
Jeanne d'Evreux. Il y a les Bibles, quelques-unes en latin,
la plupart en français ; celles-ci, on le sait, sont courantes
depuis le début du xiiie siècle lorsque, à la demande
même du pape, l'université de Paris a établi une sorte de
Vulgate française ; beaucoup d'entre elles admirablement
enluminées dans le style du temps qui est tout de finesse,
le décor souvent en grisaille légère, rehaussée de quelques
touches de couleur. Mais il y a aussi une multitude
d'ouvrages qui dénotent ce goût du savoir justifiant
l'épithète de « Sage ». Œuvres encyclopédiques comme
celles de Vincent de Beauvais, historiques comme cette
*Histoire universelle depuis la création jusqu'à la mort de
César*, ou comme l'œuvre de Valère Maxime que le roi
avait fait traduire par l'un de ses familiers, Simon de
Hesdin, ou comme les *Grandes chroniques de France* dont
il avait fait faire une copie magnifiquement enluminée ;
ou scientifiques même, comme cette traduction de Ptolémée qu'il avait fait exécuter par l'un de ses clercs les plus
savants, le fameux Nicolas Oresme, ou comme cet atlas
catalan, probablement établi par Cresques le Juif, savant

géographe de Majorque. Et parmi ces ouvrages scientifiques, plusieurs attestent le goût du roi pour l'astrologie ; entre autres ce *Traité sur la sphère* dû à Pèlerin de Prusse, sur lequel ont été ajoutés après coup les horoscopes de Charles V et de ses enfants. Très probablement Thomas de Pisan, le père de Christine, en aura feuilleté les pages. Si ce n'est lui qui a dressé en personne les horoscopes.

C'est en effet grâce à ce penchant pour l'astrologie que la famille de Thomas de Pisan (on devrait écrire : Pizan) se trouvait réunie à Paris. Le roi n'était encore que dauphin quand il avait fait faire la traduction de Ptolémée sur laquelle il est représenté tout jeune, portant sur ses épaules le manteau à deux bandes d'hermine caractérisant les enfants de France. A cette date — vers 1363 — il songeait déjà à s'entourer de savants et c'est vers le même temps qu'ayant entendu parler de Thomas, il envoyait à Bologne ses messagers lui faire des offres ; ceux-ci rencontrèrent les messagers de Louis Ier de Hongrie qui souhaitait également attirer à lui l'astronome. C'est assez dire que celui-ci jouissait d'une renommée bien établie. Christine le dira plus tard :

> *Riche fut et de grand savoir,*
> *Et merveilleux fut son avoir :*
> *De ce ont maint ouï parler...*
> *Entre les princes bienvenu*
> *Etait aimé et cher tenu.*

Chacun lui promettait « grands salaires et émoluments ». Thomas se décida pour « le souverain roi

chrétien, le roi de France, Charles le Sage, cinquième de
ce nom ». Il obtint congé de la Sérénissime République
qui l'avait engagé à son service et, laissant sa famille à
Bologne, gagna Paris. Il comptait d'abord n'y passer
qu'un an ; mais le roi appréciait à tel point la science de
« l'astronomien » qu'il le pressa de s'installer définitive-
ment en France avec sa famille. Thomas hésita trois ans,
se laissa gagner et finalement, un jour de décembre 1368,
toute la famille était accueillie au Louvre par le roi
Charles V en personne. Christine devait plus tard évoquer
ce souvenir pour elle éblouissant. Elle n'avait alors que
quatre ans et peut-être se souvenait-elle surtout des récits
qui lui en avaient été faits. Toujours est-il qu'elle précise
que mère et enfants étaient alors revêtus de leur « habit
lombard » ; de ce genre d'habit d'une grande somptuosité, on a quelque idée lorsqu'on considère par exemple le
personnage de sainte Catherine dans la fresque du
couvent Saint-François à Bologne (aujourd'hui à la Pina-
cothèque de cette ville) : des bandes de broderies d'or
enrichies de pierreries soulignent le col et ornent les
manches aux poignets et aux bras, tandis qu'une autre
large bande brodée s'étale au-dessus de la poitrine et que,
par-dessus la robe, un manteau lui-même relevé de
broderies en semis enveloppe le personnage ; c'est ainsi
qu'on peut imaginer, en une circonstance aussi solennelle, la mère de Christine : « Grandement fut reçue la
femme et les enfants de l'aimé philosophe maître Thomas
mon père arrivés à Paris, que le bénigne et bon sage roi
voulut voir et recevoir joyeusement, laquelle chose fut
faite tôt après leur venue, avec leurs habits lombards

riches d'ornements et d'atours selon l'usage des femmes et enfants d'état » (de bonne famille). La petite Vénitienne, certainement très intimidée, qui fut présentée ce jour-là à la Cour de France, ne se doutait évidemment pas qu'un jour elle écrirait la vie du roi qui l'accueillait « à très grande joie » ; mais ce premier contact avec l'un des plus grands souverains d'alors dut lui laisser un souvenir ébloui ; aussi n'évoquera-t-elle plus tard sa personne que dans des termes pénétrés d'admiration et de respect : « de corps était haut et bien formé, droit et large par les épaules et maigre par les flancs, gros bras et beaux membres avait... le visage de beau tour, un peu longuet, grand front et large ; avait sourcils en archet, les yeux de belle forme, bien assis, châtains de couleur et arrêtés en regard (de regard droit), haut nez assez et bouche non trop petite et lèvres ténues. Assez barbu était et eut un peu les os des joues hauts, le poil ni blond ni noir, la charnure brun clair ; il eut la chair assez pâle et crois que le fait qu'il était fort maigre lui était venu par accident de maladie et non de condition propre. Sa physionomie et manière étaient sages, mesurées et rassises (calme) à toute heure, en tout état et en tout mouvement... Il eut belle allure, voix d'homme de beau ton et avec tout ce certes belle parlure (parole), si ordonnée que rhétoricien quelconque en langue française n'y eût pu rien amender » (n'y aurait rien trouvé à redire). Semblable portrait correspond d'ailleurs, avec le visage « un peu longuet », les pommettes hautes et le nez un peu fort, aux portraits qui nous sont restés de Charles V.

Christine pouvait en effet l'évoquer avec émotion et

reconnaissance, car il avait fait à son « astronomien » de
père une carrière fort enviable. Elle fut, dit-elle, « nourrie
de son pain » ; et encore : « la pourvoyance du bon roi ne
laissait à l'hôtel de son aimé (conseiller) manquer nulle
chose nécessaire ». Cette « pourvoyance » était large et ne
se bornait pas à l'entretien quotidien, car le roi multiplia
les donations à son « amé et féal phisicien » ; la famille
vivait très largement, non seulement des cent francs par
mois que lui allouait le roi, mais d'une rente annuelle de
vingt livres parisis assise à Orsonville dans le baillage de
Melun ; elle acquit non loin de là le château de Mémorant ; l'année même de sa mort, le roi lui faisait cadeau de
la tour Barbeau laquelle venait d'être réparée ce 20 mai
1380 ; cette tour dont on voit aujourd'hui quelques
vestiges au numéro 32 du quai des Célestins faisait partie
des murailles de Philippe Auguste entourant Paris ; un
terrain clos de mur lui était adjoint.

Ainsi l'enfance de Christine allait se passer sur les
berges de la Seine, tout près de ce quartier Saint-Paul où
se trouvait l'un des hôtels les plus fréquentés par la
famille royale ; la rue des Lions Saint-Paul évoque
aujourd'hui encore la ménagerie qui y était attenante.
Non loin aussi de la massive forteresse de la Bastille Saint-
Antoine que Charles V a fait élever en 1370 et qui devait
être sous le règne de son successeur le théâtre de tant
d'événements dramatiques.

Enfance heureuse. Christine devait plus tard l'évoquer
avec émotion. Il semble même que, dans les malheurs qui
allaient suivre, ce soit cette enfance toute pénétrée de

tendresse qui l'ait munie du courage quotidien dont elle a
dû faire preuve :

> *Je fus comme fille nommée*
> *Et bien nourrie et bien aimée*
> *De ma mère...*
> *Qui m'aima tant et tint si chère*
> *Que elle-même m'allaita*
> *Aussitôt qu'elle m'enfanta*
> *Et doucement en mon enfance*
> *Me tint, et par elle eus croissance.*

Elle raconte aussi que ce temps de la petite enfance où
l'on n'éprouve « nul besoin sinon jouer » s'écoula pour
elle « sans recevoir ni griefs ni offenses ». Période sans
nuage donc, qui lui permit de s'épanouir paisiblement.
Là se trouve sans doute le secret de l'équilibre que toute
sa vie on pourra constater chez Christine.

Son père eût souhaité avoir un fils ; il en eut deux après
Christine, mais ni Aghinolfo ni Paolo ne devaient lui
ressembler autant que sa fille. En particulier, elle lui
ressemble par un extraordinaire appétit de savoir ; c'est ce
qu'elle veut dire quand elle parle, en ces termes allégori-
ques habituels à l'époque, de :

> *l'avoir qui est pris*
> *à la Fontaine de grand prix.*

Cet « avoir » puisé à la Fontaine de Savoir, c'est la
science qu'elle souhaitait tenir de son père et dont elle
dit : « Plus la désire que rien terrestre » (que quoi que ce

soit de terrestre). Si elle a quelque reproche à faire à
l'éducation qu'elle a reçue, c'est pour sa mère qui, dit-
elle, « la voulait occuper de filasses » ; visiblement elle
n'aimait pas filer ; elle maudit la coutume qui veut que les
filles soient moins instruites que les garçons — coutume
d'ailleurs plus récente qu'elle-même ne le croit, puisque
l'instruction des filles avait été jadis très poussée. Mais,
quant aux mœurs, l'Italie a précédé quelque peu la
France dans son évolution, et sa mère jugeait sans doute
que le rouet qui désormais trônait dans toute maison
bourgeoise aurait dû être plus souvent actionné par sa
fille. Or Christine regrettera par la suite de n'avoir retenu
de la science paternelle que :

> Des raclures et des paillettes,
> Des petits deniers, des maillettes,
> Tombées de la très grand richesse
> Dont il avait à grand largesse.

Mais il faut tenir compte de son extrême modestie
quand elle parle ainsi : ses ouvrages témoigneront de ce
savoir étendu qu'elle a acquis elle aussi, et non seulement
à l'école de son père mais par ses propres études ; elle
aurait probablement pu être l'émule de cette autre fille de
« Bologne-la-Grasse » dont elle parle dans sa *Cité des
dames*, une certaine Novella qui, dit-elle, « avait étudié si
avant (si profondément) les lois (le droit romain) qu'elle
allait lire (enseigner) en chaire » pour les écoliers de
l'Université quand son père en était empêché ; et le trait
nous ouvre quelques horizons sur cette fameuse univer-

sité de Bologne, centre d'études juridiques le plus
important sans doute en Occident, où avait pu enseigner
une fille ; il n'en eût d'ailleurs pas été de même à
l'université de Paris.

Cette science paternelle, Christine l'exalte en termes
émus et enthousiastes. De fait, si l'astrologie occupe au
temps de Christine une place qu'elle n'avait pas connue
précédemment, on ne peut en juger d'après ce que nous
entendons, nous, sous ce terme. Elle-même nous expli-
que que « la science d'astrologie est l'art de connaître les
mouvements des célestiels sphères et planètes ». Mais
cette science en suppose beaucoup d'autres : « à l'astrologie nul ne peut parvenir si auparavant il n'est philosophe,
géomètre et arithméticien » ; et d'autre part la science de
l'astrologue élève celui qui s'y livre et en quelque sorte le
conduit à Dieu : « Celui qui avec persévérance acquiert
(cette science), elle le fait amoureux des beautés de là-
haut ; et aussi en persévérant dans la digne étude et en
continuant celle-ci, elle l'induit, à ce qu'il semble, à
l'âme, c'est-à-dire à la beauté de forme, et le rend
semblable à Celui qui le fit. »

Ainsi tant par la base d'études qu'elle suppose que par
les horizons qu'elle ouvre, l'astrologie est fort différente,
on le voit, de la simple prédiction du futur. Toujours est-
il que Thomas de Pisan s'était rendu célèbre aussi par sa
faculté de prévenir les princes :

> Ou de grand paix ou de grand guerre ;
> De vent ou d'eau grand ravine ;
> De mortalité, de famine,
> Qui étaient à l'avenir.

Il savait donc prévoir tempêtes ou inondations, un peu comme aujourd'hui les services de météorologie, mais aussi les événements. En 1377 on voit le duc de Savoie, Amédée VI, s'adresser à lui pour qu'il choisisse une heure favorable pour le mariage de son fils avec Bonne, la fille du duc Jean de Berri.

Mais là ne s'arrête pas son office auprès du roi. Il est aussi son « physicien » — son médecin au même titre que ce maître Gervais Chrétien, fort connu, qui a fondé à Paris un collège de médecine — largement doté par le roi — et qui, lui aussi, l'assistait à son lit de mort. Il est plus généralement son conseiller et a tenu un rôle dans la politique du temps. C'est probablement lui qui détermine Charles V à s'adresser à l'université de Bologne pour consultations juridiques avant la rupture de la trêve avec l'ennemi anglais en 1369 ; et c'est lui sûrement qui s'est entremis dans les rapports entre la France et la République de Venise ; il était tout désigné pour cela : Une affaire de représailles (un commerçant de Narbonne avait été attaqué par trois galères vénitiennes dans le détroit des Dardanelles) avait envenimé ces rapports ; Thomas parvint à rétablir des relations normales avec la République et même à faire exempter les Vénitiens de l'impôt de six deniers par livre qui pesait sur les étrangers dans les ports de France. La faveur dont l'astrologue jouissait auprès du roi est d'ailleurs confirmée par les nombreux dons qu'il reçoit : entre autres, certain jour, celui de huit manuscrits hébraïques qui font penser que le père de Christine lisait sans doute l'hébreu.

C'est donc dans cette atmosphère de curiosité scientifique et aussi de faste royal que Christine a passé toute son enfance.

L'un des souvenirs les plus frappants qu'elle en garde est lié à celui du roi. Elle avait été éblouie par les exploits d'un danseur de corde — on disait alors un « voleur » ; ce funambule d'une hardiesse extraordinaire avait fait tendre ses cordes « depuis les tours de Notre-Dame de Paris jusqu'au Palais » et, ajoute Christine, « par-dessus ces cordes, en l'air, sautait et faisait jeu d'apertise (adresse) — si semblait qu'il volât... Et disait-on qu'en ce métier n'avait jamais eu son pareil ». Hélas, ce funambule étonnant, trop confiant en sa propre adresse, fit une chute dont il mourut. Le roi racontait plus tard son histoire comme exemple à méditer à ceux qui voulaient « trop présumer » de leurs forces ; il y ajoutait l'exemple de ce philosophe qui avait juré que « quand il serait vaincu en discussion, jamais après ne mangerait ; il rencontra un jour plus subtil que lui, et en mourut de deuil ».

Christine aura de même, plus tard, l'occasion de rappeler le souvenir de la Cour tenue par le roi, lors des fêtes solennelles, ou lorsqu'il recevait quelque prince étranger ; elle trouvera pour les décrire les mots émerveillés : « L'assiette des tables, l'ordonnance, les nobles parements d'or et de soie ouvrés de haute lisse qui étaient tendus sur ses parois et ses riches chambres, de velours brodé de grosses perles, d'or et de soie... des draps d'or, pavillons et ciels sur ces hauts dais et chaires courtinées,

la vaisselle d'or et d'argent grand et pesant en quoi l'on
était servi sur ses tables, les grands dressoirs couverts de
flacons d'or, coupes et coupelles et autres vaisselles d'or à
pierreries, les beaux mets et entremets, vins, viandes
délicieuses à grand largesse... »

En quelques occasions elle avait elle-même assisté dans
son enfance à de somptueuses réceptions ; ainsi celle qui
fut offerte au « soudan de Babiloine » ; entendons le
sultan d'Egypte ; Charles V en effet avait accueilli le
message par lequel Al-Malik-al-Ashraf, qui régna au
Caire de 1363 à 1377, lui offrait alliance et amitié ; « et
que nul ne mécroie cette chose (que nul n'en doute)
certainement je l'affirme pour vrai, car lorsque j'étais
enfant je vis le chevalier sarrasin richement et étrange-
ment vêtu et était notoire la cause de sa venue... Le sage
roi prudent en toute chose... considérant le bon vouloir
du sultan qui pour ce de si loin avait envoyé son message,
reçut le chevalier et ses présents en grand honneur ; il
festoya et honora et ses gens et son truchement (l'inter-
prète) par qui il entendait ce qu'il disait ; il remercia le
sultan, lui renvoya de beaux présents, des choses de par-
deça (de chez nous), fines toiles de Reims, écarlates, dont
ils n'ont nul au-delà (qu'ils n'ont pas chez eux)... donna
largement aux messagers et s'offrit à faire toute chose
qu'il pourrait faire pour le sultan ».

Ou encore c'est la réception fameuse de l'empereur
Charles IV, le fils de ce roi de Bohême Jean l'Aveugle qui
lors de la bataille de Crécy s'était jeté follement dans la
mêlée où il avait trouvé la mort ; elle décrit minutieusement cette réception que nous font par ailleurs connaître

les chroniqueurs d'un règne dont elle marque probablement l'apogée. L'empereur fut accueilli aux confins du
royaume, à Cambrai, le 22 décembre 1377, par le premier
chambellan Bureau de la Rivière et divers autres seigneurs, tandis que le roi lui-même se réservait d'aller à sa
rencontre à Saint-Denis ; entre-temps l'empereur avait eu
une attaque de goutte, si bien que, ne pouvant chevau-
cher, il fut heureux d'utiliser l'une des litières de la reine
que le roi s'était empressé de lui envoyer, attelée de
« quatre beaux mulets blancs et de deux coursiers » ; il
dut se faire porter dans la basilique de Saint-Denis, mais
ne tint pas moins à aller révérer les reliques et se faire
montrer les sépultures royales ; à l'entrée de Paris, vers la
porte de la Chapelle, il chevaucha pourtant le « destrier
que le roi lui avait envoyé, lequel était maurel (noir) ».
Christine racontant son arrivée note au passage que ce ne
fut pas sans raison « car les empereurs de leur droit,
quand ils entrent dans les bonnes villes de leur seigneurie
et empire, ont accoutumé d'être sur chevaux blancs ; et ne
voulut le roi qu'il le fît en son royaume, afin qu'il n'y put
être noté quelque signe de domination ». Charles V avait
montré par là son souci d'indépendance et le trait n'est
pas sans nous introduire quelque peu dans la mentalité du
temps, pour laquelle le langage des couleurs est compris
de tous. En revanche « de son palais partit le roi monté
sur un grand palefroi blanc aux armes de France,
richement habillé ; le roi était vêtu d'un grand manteau
d'écarlate fourré d'hermine ; sur sa tête avait un chapeau
royal à bec (à pointe) très richement couvert de perles » ;
à ses côtés les quatre ducs Berry, Bourgogne, Bourbon et

Bar, environnés d'autres parents et chevaliers « en bel
arroi et richement montés ». Christine s'étend longuement sur les huissiers d'armes en livrées de drap de soie,
les grands destriers à selle de velours brodé de perles,
« les valets qui les menaient vêtus tout un (tous de même)
avec en écharpe les parements de France en la manière
accoutumée ; le palefrenier monté sur un grand coursier
devant le roi avait son parement en écharpe de velours
brodé de fleurs de lys de perles ; les trompettes du roi à
trompes d'argent avec panonceaux brodés allaient devant,
qui parfois sonnaient de la trompe pour faire avancer les
gens (frayer le chemin) ».

L'empereur fut reçu au palais de la Cité dans une
chambre de bois d'Irlande donnant sur les jardins et sur la
Sainte-Chapelle. Cette brillante réception avait eu lieu le
4 janvier 1378 ; roi et empereur devaient s'entretenir
longuement ; une miniature nous a gardé le souvenir du
festin donné dans la grande salle du Palais au jour de
l'Epiphanie, mercredi 6 janvier ; le festin comme de
coutume fut égayé d'entremets, c'est-à-dire de représen-
tations données entre les services ; il y en eut deux « l'un
comment Godefroy de Bouillon conquit Jérusalem... était
la cité grande et belle, de bois peinte avec panonceaux et
armes des sarrasins fort bien faites... ; et puis la nef où
Godefroy de Bouillon était et puis l'assaut commencé et la
cité prise, qui fut bonne chose à voir ». Le reste du séjour
se déroula avec la même magnificence au Louvre, puis à
Saint-Maur où l'empereur tenait à venir vénérer des
reliques, ensuite à l'hôtel Saint-Paul que l'assemblée
gagna en bateau par la Seine ; le jeune dauphin et son

frère Louis de Valois y vinrent saluer l'empereur. Son séjour se termina à Beauté-sur-Marne ; Charles IV en fut si enchanté qu'il s'y déclara guéri de sa goutte ; on y fit de somptueux échanges de cadeaux : coupes d'or garnies de pierreries et d'émaux champlevés, flacons, aiguières, hanaps d'or et gobelets ; jusqu'au moment où, à la veille de se faire leurs adieux, l'empereur donne au roi un rubis et un diamant tandis que le roi lui-même lui offre un diamant qu'il portait « et devant tous s'entraccolèrent et baisèrent à grands remerciements ».

Ces adieux avaient lieu le 16 janvier 1378 ; quelques jours plus tard, le 4 février, le glas sonnait pour la mort de la reine ; elle venait d'accoucher d'une fille, Catherine, et mourut lors de cet enfantement difficile ; quelques jours encore et Isabelle, autre fille de la maison royale, âgée de cinq ans, mourait elle aussi.

Désormais les deuils allaient se succéder et l'atmosphère s'alourdir, non seulement autour du roi de France, mais dans la chrétienté tout entière : au mois de mars, le 27, mourait le pape Grégoire XI, celui qui, sur les objurgations de Catherine de Sienne, avait enfin quitté Avignon où les papes s'étaient installés au début du siècle pour regagner Rome.

C'est à cette même époque que le bruit courut qu'on voulait empoisonner Charles V ; les deux personnages accusés du complot furent découverts et ne tardèrent pas à avoir la tête tranchée sur jugement du Parlement ; on murmurait que l'instigateur du complot n'était autre que le cousin même du roi, Charles le Mauvais, roi de Navarre. Les derniers temps du règne s'écoulaient ainsi dans une atmosphère trouble et triste, semée de deuils, jusqu'au moment où parvenait au roi une nouvelle qui allait mettre le comble à sa douleur : celle de la mort du connétable du Guesclin, à Châteauneuf-de-Randon, le 13 juillet 1380. Coup final auquel Charles V n'allait guère survivre.

C'est qu'en effet l'une des plaies du siècle, née de la guerre avec son cortège de massacres et de destructions, était la présence des compagnies de routiers, recrutés à grand frais, dont il fallait assurer la solde en temps de guerre et obtenir le départ, la paix revenue ; faute de quoi ils vivaient sur les campagnes, multipliant pillages et voleries ; tout l'effort de Charles V avait tendu à écarter, une fois la paix tant bien que mal assurée, ces indésirables auxiliaires ; c'est à quoi s'était employé surtout son cher connétable, le petit chevalier breton, Bertrand du Guesclin, qui n'avait pas son pareil pour manier les grandes compagnies de mercenaires, tour à tour faisant face aux forces anglaises ou les emmenant combattre ailleurs, en Navarre, en Castille. Le roi avait su reconnaître ses services ; sur un document que conservent en notre temps les Archives nationales, quelques lignes ont été écrites de sa main sur l'ordre donné à son trésorier de payer la rançon du connétable : « Gardez que en ce n'ait faute comment qu'il soit ; car il touche notre honneur très grandement. Ecrit de notre main. Charles. »

Mais Christine et sa famille n'auront eu de la guerre que des échos lointains et pour eux le règne entier de Charles V aura marqué une période bénie, toute de calme, d'études facilitées par l'admirable bibliothèque

royale sur laquelle veille leur ami, le « libraire » Gilles
Malet, et d'événements familiaux vécus dans la joie.
Entre autres, le mariage de Christine ; car, jolie, cultivée,
admirée, Christine, à quinze ans, en 1379, épouse un
gentilhomme picard, Etienne Castel, fils d'un valet de
chambre du roi qui exerce aussi épisodiquement la charge
d'armurier, ou de brodeur. Etienne ne tarde pas à
obtenir, l'an 1380, des fonctions plus honorables encore :
celles de notaire et secrétaire du roi.

C'est assez dire que la famille entière est comblée
d'honneurs au moment où survient l'événement qui fut
« la porte ouverte de ses infortunes ». Et Christine
ajoute : « Moi, étant encore assez jeunette, j'y suis
entrée. »

Ce qu'elle ne pouvait savoir encore, ce mois de
septembre 1380, c'est sur quel monde de noirceur ouvrait
cette porte, pour elle comme pour le royaume.

CHAPITRE II

MUTATION DE FORTUNE

Seulette suis et seulette veuil être,
Seulette m'a mon doux ami laissée,
Seulette suis, sans compagnon ni maître...
Seulette suis, sans ami demeurée.

LE malaise qu'on sentait dans le royaume, diffus un peu partout, plus sensible à Paris, allait se manifester au lendemain même de la mort de Charles V.

Un incident qui éclate lors du service funèbre à Notre-Dame de Paris, le 24 septembre 1380, semble comme le prélude des troubles qui suivront avec une note à la fois lugubre et incongrue, touchant presque au ridicule.

Le prévôt royal chargé de régler l'ordonnance du cortège, Hugues Aubriot, avait été l'un des hommes de confiance de Charles V ; ses fonctions étaient un peu celles d'un préfet de police. A ce titre il avait eu à plusieurs reprises des difficultés avec l'université de Paris : n'avait-il pas tenté de soumettre ses membres à l'obligation du guet, comme tous les autres bourgeois et habitants de la Cité ? C'était là une mesure contraire aux traditionnelles exemptions dont jouissaient les universitaires, étudiants et maîtres ; aussi bien avait-elle soulevé protestations, grèves et échauffourées.

Or, dans le cérémonial du cortège royal, Hugues Aubriot avait attribué la première place à l'évêque de Paris. Fureur du recteur de l'Université qui, suivi des représentants des quatre facultés, ainsi que des délégués de chacune des « nations » d'étudiants — picarde, française, normande et allemande (celle-ci désormais substituée à la nation anglaise) — prétendait avoir sur l'évêque droit de préséance. En dépit de la gravité des circonstances, il y eut un échange de mots d'abord aigres-doux, puis plus violents, et bientôt, entre les sergents du prévôt et les universitaires, on en vint aux mains. Hugues Aubriot intervint : « Il repoussa durement le recteur et le prenant rudement par la barbe lui dit qu'il l'allait maltraiter davantage ; le recteur lui dit qu'il lui faisait mal, mais le prévôt le reprit par le menton et le bouta fort rudement, criant : « Tuez tout ! au recteur ! » Les autres universitaires accoururent à sa rescousse ; le cortège dégénérait en mêlée générale. « Et furent plusieurs battus, navrés et injuriés d'épées, de haches et de bâtons, chassés par les champs, foulés aux pieds des gens et des chevaux ; et tant qu'il fallut que plusieurs se boutassent en la rivière de la Seine pour sauver leurs vies, dont quelques-uns passèrent la rivière à la nage... Plusieurs maîtres furent brutalement dépouillés de leur chape aux cris de : Ribaudaille ! truandaille ! » Entre les sergents du prévôt et les maîtres et étudiants parisiens, le duc d'Anjou dut intervenir en personne pour rétablir l'ordre.

Le lendemain, au moment du transfert du cercueil royal de Notre-Dame de Paris à l'abbaye royale de Saint-Denis où devait avoir lieu l'inhumation, les troubles recommençaient. Dans le quartier Latin tout entier en effervescence, les étudiants, par groupes, s'attaquaient aux sergents royaux. Les désordres allaient se prolonger quelque temps encore.

Bien entendu, l'affaire fut conduite devant les tribunaux. S'estimant lésés, les universitaires assignèrent Hugues Aubriot devant la justice royale. L'un des anciens recteurs, Dominique Petit, fut chargé de conduire au nom de l'Université un procès contre le prévôt devant le parlement de Paris. Il l'accusa, non seulement d'être responsable des troubles mais aussi, devant la justice ecclésiastique, d'être « repris d'hérésie et de bougrerie, d'être sodomite et faux chrétien » ; autrement dit, tandis qu'au civil on examinait sa conduite et celle de vingt et un sergents arrêtés lors des obsèques royales, l'Université l'assignait aussi pour des motifs religieux, l'accusant d'être hérétique et homosexuel. On énumérait encore à la suite d'une enquête sur sa vie diverses accusations : de ne pas pratiquer la communion pascale, d'avoir soutenu les juifs, etc.

Hugues Aubriot dut faire publiquement amende honorable devant les membres de l'Université, à genoux, cierge en main, vêtu de la chemise des condamnés ; un bas-relief conservé encore en notre temps représente la scène, comme pour en fixer la mémoire à l'intention de

ceux qui s'attaqueraient aux privilèges universitaires ; il
fut ensuite enfermé dans la tour de l'évêché de Paris,
après avoir été bien entendu démis de ses fonctions ;
encore cette grave humiliation (17 mais 1381) fut-elle
pour lui un moindre mal, car dans l'Université on parlait
d'une condamnation au bûcher.

Son successeur, Audouin Chauveron, dut prêter serment devant les délégués des maîtres et étudiants, jurant
de respecter leurs traditionnelles exemptions. Semblable
épisode donne la mesure de la puissance que représente
alors l'université de Paris ; et révèle aussi, disons-le, son
esprit vindicatif, autant que son aptitude à déguiser en
procès d'hérésie, avec bûcher en perspective, les causes
qu'elle porte devant les tribunaux.

Thomas de Pisan assistait certainement à ces funérailles
si tumultueuses d'un maître bien-aimé. Il ne semble pas
qu'il ait eu, quant à lui, de contacts directs avec le monde
universitaire parisien. La perte du roi son protecteur
suffisait à son deuil, et aussi, à son angoisse pour l'avenir ;
et l'« astrologien » qu'il était devait ressentir les troubles
nés aussitôt après sa mort comme un mauvais présage
pour le royaume comme pour lui-même.

Celui à qui revenait désormais la couronne, Charles,
fils aîné de Charles V, n'avait que douze ans. N'était-ce
pas au même âge, douze ans, qu'avait été couronné le roi
saint Louis, — ce roi dont le nom seul suffisait à évoquer
la prospérité et la paix, le temps d'avant la grande famine,
avant la peste noire, avant les guerres qui depuis un demi-
siècle ne cessaient d'ensanglanter le pays ? A l'époque, sa
mère la reine Blanche avait pris en main le gouvernement

du royaume. Mais la mère de Charles VI était morte avant
son époux. Autour du jeune garçon et de son frère Louis
de quatre ans plus jeune, on ne trouve que des présences
masculines, qui sont autant d'ambitions en puissance. Ce
sont les trois frères du roi défunt, Louis d'Anjou —
quarante et un ans, Jean de Berry — quarante ans,
Philippe — trente-huit ans, qui a gagné à Poitiers, aux
côtés de son père, son surnom le Hardi — et la Bourgogne
en apanage ; et l'oncle maternel, Louis de Bourbon,
quarante-trois ans. Louis d'Anjou a pris les rênes du
gouvernement, mais on sait qu'il ne songe qu'à son
héritage de Naples, la reine Jeanne ayant fait de lui son
héritier. D'ailleurs là est le mal : chacun d'eux, trop bien
pourvu par une générosité paternelle sans discernement,
est un chef d'Etat : la tentation est forte de faire passer les
intérêts de son Etat propre avant celui du royaume ;
chacun a des hommes à placer, des appétits particuliers à
assouvir, des dettes à régler. Le jeune roi n'a pas encore
été couronné que déjà on parle de remplacer le chancelier
du royaume, Pierre d'Orgemont — un homme qui
jouissait de l'entière confiance du roi défunt : celui-ci ne
lui avait-il pas confié les clefs de la tour de Vincennes où
étaient enfermés ses trésors ? Sa destitution en annonçait
d'autres. Thomas de Pisan pouvait dès lors comprendre
combien son sort et celui des siens, dépendant entièrement de la faveur royale, devenaient précaires.

Charles VI allait être couronné le 4 novembre à Reims,
et faire, le 11 du même mois, dans Paris, son entrée
solennelle, avec une escorte imposante, et pour la première fois « divers personnages et histoires », comme

autant de tableaux vivants sur le passage du cortège. La solennité n'en fut pas moins quelque peu troublée.

Le bruit s'était répandu en effet qu'au matin de sa mort son père Charles V avait supprimé les impositions qu'on levait sur le peuple. C'était d'ailleurs exact : le 16 septembre, en présence de son confesseur, un dominicain, frère Maurice, de Coulanges en Auxerrois, le roi avait décrété qu'il abolissait les fouages (impôts prélevés par *feux*, ou foyers) et autres charges pesant sur la population. Et déjà des émeutes avaient éclaté, exigeant l'application immédiate de la volonté royale. Louis d'Anjou avait su calmer les plus excités, en promettant de réunir les états généraux, à qui il revenait de fixer le montant des taxes, aussitôt après le couronnement de son neveu.

Ce qu'il fit effectivement dès le 14 novembre. Ce jour-là, au petit matin, Thomas et les siens, de leur logement de la tour Barbeau, pouvaient voir des groupes inquiétants franchir la Seine en direction de ce marais qu'avaient deux cents ans auparavant asséché les Templiers. De plus en plus compacts, de plus en plus nombreux. Ils étaient finalement plus de vingt mille à manifester ce jour-là contre l'autorité, en la personne de Louis d'Anjou et du nouveau chancelier du royaume, l'évêque de Beauvais, Milon de Dormans. Il fallut bien, cette fois, céder aux exigences de la foule. Une ordonnance des états généraux décréta la suppression de tous les impôts levés sous Charles V. Sur quoi les émeutiers, dans leur excitation, se répandirent dans le quartier juif, pillant au hasard les maisons de prêteurs sur gages, pour récupérer les dépôts ou lacérer les livres de comptes.

Mauvais débuts d'un règne dont la science de l'astrologue prévoyait peut-être la triste fin. En fait on se retrouvait en plein régime féodal, quand le roi vivait, comme tout autre seigneur, des ressources de son domaine, et ne pouvait lever sur les populations du royaume d'autres taxes que celles qui étaient prévues pour « quatre cas » : en cas de guerre, de rançon à payer pour le suzerain, lors de la chevalerie de son fils aîné ou du mariage de sa fille aînée.

Cela, au moment où le Trésor royal devait assumer des charges qui dépassaient de beaucoup, notamment pour sa défense, les ressources du domaine. Un premier contrecoup s'en faisait sentir dans la famille même de Christine. La faveur dont avait joui son père, nul dans l'entourage du nouveau roi ne se souciait de la prolonger ; et du même coup les gages de Thomas de Pisan se trouvaient suspendus — tandis qu'on ne manquait pas de lui réclamer le montant de la rente assignée sur la tour Barbeau et le terrain attenant. Autrefois très à l'aise, la famille sentait sa situation s'amenuiser. L'astrologue, passablement dépensier, n'avait fait aucune économie. Quelque gêne peu à peu se faisait sentir à son foyer. Dans la mesure même où il avait joui d'un grand crédit auprès du roi défunt, Thomas de Pisan, on s'en doute, s'était fait des ennemis ; le moment n'allait pas tarder où certains personnages de la cour, un Philippe de Mézières entre autres, allait s'en prendre ouvertement aux astrologues en général et à Thomas de Pisan en particulier ; dans son ouvrage le *Songe du vieil pèlerin* qui eut un grand retentissement, il s'attaque nommément à celui-ci : « Oh combien de fois Thomas de Bologne au petit jugement s'est trompé et fut déçu ! » Oui, la mort du roi Charles était bien pour toute la famille « la porte ouverte de ses infortunes » ! Heureusement Etienne Castel avait pu garder sa charge de notaire et secrétaire du roi acquise cette même année 1380. Mais les gages des officiers royaux étaient assez irrégulièrement payés — surtout en cette période de disette fiscale.

Il fallait bien, pour assurer les dépenses d'administration, trouver des ressources. Le roi, ou plutôt les ducs ses oncles, prirent prétexte du débarquement de six mille Anglais à Calais pour lever à nouveau une aide, c'est-à-dire une taxe ; mais en contrepartie une série d'ordonnances datées de Pontoise au mois de mars 1381 faisait à une opinion irritée diverses concessions : on apaisait les petites gens en limitant le taux de l'intérêt et en prenant des mesures contre les usuriers juifs, dont la population des villes était souvent victime ; on révoquait les notaires royaux institués dans des domaines seigneuriaux, etc.

Mais le malaise était profond et général. On aurait pu alors reprendre la constatation de ce chroniqueur liégeois, Jean d'Outre-Meuse : « A ce temps que je dis sont tous les communs peuples par tout le monde ou la plus grande partie, tant en France comme autre part, élevés » (en rébellion). Une vague de troubles sociaux se manifestait en Europe depuis l'Angleterre jusqu'à l'Allemagne, la Bohême et l'Italie ; à Florence surtout avec la révolte des *Ciompi* : « leur était le diable entré en la tête pour tout occire » — disait Froissart. En France, apaisées quelque temps par les concessions des ordonnances de Pontoise, les « commotions » reprennent lorsque se répand la nouvelle que les aides seront perçues à nouveau en 1382. La levée de l'impôt est annoncée comme d'habitude à la table de Marbre dans la grande salle du Palais de Paris, le 15 janvier 1382 ; lorsque, au mois de mars, le collecteur royal veut commencer sa tâche aux Halles, la première marchande à laquelle il s'adresse, une « regratière », marchande de cresson et légumes, se met à pousser des cris ; à ce signal « il se leva un grand vent de pillards et de coquins qui s'abattit sur les Halles », dit un témoin du temps ; l'émeute avait été préparée en dépit du guet aux portes de Paris ; une troupe de jeunes gens se répand rue Saint-Denis puis se dirige sur l'Hôtel de Ville où autrefois Hugues Aubriot, au temps où il était prévôt, avait rassemblé dans les caves quelque deux mille maillets — la matraque de l'époque : un cylindre de plomb emmanché au milieu à une forte barre de bois qu'on maniait à deux mains ; les insurgés s'en emparent et parcourent le quartier, malmenant les Juifs, pillant les collecteurs d'impôt dont ils lacèrent les livres de comptes et détruisent les archives, saccageant aussi certains hôtels comme celui d'un notaire au Châtelet, Nicolas Pitouce. La rue leur appartient, malheur aux passants qui refusent de se joindre à eux.

Allait-on connaître des journées semblables à celles du temps d'Etienne Marcel ? Thomas de Pisan n'était pas alors à Paris, et Christine moins encore, mais ils avaient dû entendre abondamment raconter ces journées de désordre pendant lesquelles le sang avait coulé.

Après l'émeute populaire, les bourgeois qui pas plus

que les gens des Halles ne veulent être taxés, saisissent
l'occasion — pour autant qu'ils ne l'avaient pas provo-
quée. Il y eut une journée pendant laquelle les émeutiers
se tournèrent vers la prison du Châtelet pour libérer les
prisonniers : ils n'en trouvèrent que quatre, des détenus
de droit commun ; puis vers la prison de l'évêque ; là ils
trouvèrent Hugues Aubriot qu'ils en firent sortir ; visiblement certains des meneurs dans la bourgeoisie parisienne
auraient aimé en faire un nouvel Etienne Marcel ; mais
l'ancien prévôt de Paris était à tout jamais dégoûté du
pouvoir ; il s'enfuit la nuit même, gagna la cour pontificale où se trouvait l'antipape d'Avignon, Clément VII, et
obtint de lui la permission de finir paisiblement ses jours
dans une localité voisine, à Sommières. Du reste beaucoup plus graves avaient été les émeutes de Rouen, celles
qui s'étaient produites dans le Midi ou encore en
Flandre ; il reste que Christine et sa famille durent subir
avec épouvante ces journées de trouble dans le quartier où
habitait la famille ; elle a dû aussi trembler pour son
époux, Etienne Castel, que son service appelait auprès du
roi.

Et l'on ne peut mentionner ici le nom du pape Clément
VII sans évoquer l'autre profond malaise qui pèse sur la
société du temps : les deux papes qui se disputent la tiare.
Là encore, la conduite du roi Charles V au matin de sa
mort influe sur la suite des événements. Car il a
solennellement déclaré « croire et tenir Clément VII pour
pape, souverain pontife et vrai pasteur de l'Eglise universelle » — tout en ajoutant qu'il se conformerait le cas
échéant « aux opinions et conclusions... de notre très

sainte Mère l'Eglise ». Depuis deux années en effet, l'Occident chrétien était sur ce point divisé. Après soixante-dix années passées en Avignon, où l'on avait vu se succéder huit papes français — la plupart limousins, juristes formés par les universités de France — Grégoire XI, selon les instances d'une Brigitte de Suède et d'une Catherine de Sienne, avait ramené à Rome le siège de Saint-Pierre. Mais à sa mort en 1378 les cardinaux (onze d'entre eux étaient français sur les seize qui composaient la Curie) avaient élu d'abord Urbain VI, un Italien ; puis, celui-ci s'étant révélé autoritaire et cruel, s'empressèrent d'en désigner un autre, Français celui-là — un parent du roi, Robert de Genève — qui reprit le chemin d'Avignon et se désigna lui-même comme le pape Clément VII.

La période qui s'ouvre va voir deux papes tenter, chacun de leur côté, de rallier à lui une chrétienté indécise, ballottée entre des courants d'opinion contraires. Une puissance s'affirmera au cours de ces quarante années, ou presque, de confusion religieuse et spirituelle : celle de l'université de Paris. L'occasion de livrer des combats oratoires et de multiplier les joutes intellectuelles n'allait pas être perdue pour elle. A la mort de l'un des papes, un autre lui succédait, et l'Université ne manquait pas de soutenir tel rival contre l'autre, quitte à proclamer que l'Eglise devrait être dirigée non plus par le pape mais par cette assemblée de Sages que serait un concile recruté parmi les universitaires.

Les émeutes continuaient cependant dans les provinces et à Paris. Elles prenaient dans la Cité mauvaise tournure. Le roi — en réalité ses oncles — avait fait droit aux exigences de la foule, mais l'acte reconnaissant les exemptions d'impôt avait été scellé de cire rouge sur queue de parchemin ; colère des bourgeois : si l'engagement royal avait eu une portée perpétuelle, il eût été scellé de cire verte, et muni de lacs de soie. Personne à l'époque ne se trompait sur la signification des couleurs, et en général celle des formes extérieures d'une charte. De nouvelles « commotions » éclatèrent.

Finalement la situation allait se dénouer d'une manière inattendue : Charles VI était allé porter secours au duc de Bourgogne en Flandre. Encouragé par la victoire qu'il remporte à Roosebecke, à quatorze ans, sur les partisans de Philippe Arteveld, (le fils du fameux tribun contemporain d'Etienne Marcel) le roi revient en triomphateur et dès lors, aussi bien à Paris qu'en Normandie et dans les provinces méridionales, son pouvoir s'affirme à travers celui de ses oncles, qui ont la main rude souvent ; quelques exécutions, des taxes désormais réclamées sans ménagement rétablissent du moins à peu près les finances.

Un beau jour, le 23 mai 1384, le roi Charles VI se souvient de « son bien-aimé chirurgien maître Thomas de Bologne » ; et « pour considération des bons et agréables services faits à feu son père et à lui-même », lui alloue 200 francs d'or, « pour l'aider à soutenir son état ». La famille dut à cette occasion pouvoir payer en tout cas les dettes les plus criantes, sans que sa situation soit encore

rétablie, car l'année suivante Thomas de Pisan s'adressait
à l'un de ses confrères, Bernard Pierre, astrologue de
Trèves, et tout en discutant avec lui au sujet de la pierre
philosophale, lui demandait d'intervenir en sa faveur. On
n'entendra plus parler de lui par la suite, sinon par
Christine qui évoque le temps où son père était « tombé
en longue impotence et maladie ». Il mourut à une date
pour nous imprécise, mais que lui-même sut « pronosti-
quer » exactement ; et il y a sans doute un petit sentiment
de revanche quand Christine note cette lugubre divina-
tion de la part de l'astrologue qui n'avait pas su annoncer
en son temps la mort du roi.

L'événement dut coïncider ou à peu près avec le
mariage de Charles VI qui eut lieu à Amiens au mois de
juillet 1385 ; c'était le fruit d'une combinaison élaborée
par le duc de Bourgogne, Philippe le Hardi, pour
maintenir à l'est des liens capables de contrebalancer la
puissance anglaise toujours redoutable : Isabeau était la
fille du duc de Bavière Etienne, mais par sa mère la
petite-fille de Bernabo Visconti ; on reconnaîtra plus tard
cette double ascendance germanique et milanaise chez la
toute jeune femme — quinze ans — qui se présente alors
sous des traits sans beauté, mais piquants, voire gracieux : un nez un peu plus gros, des yeux un peu plus
petits qu'il n'eût fallu, mais au total une allure avenante et
suffisamment aimable pour que le jeune roi en soit
aussitôt tombé amoureux ; il en était malade d'impatience, raconte Froissart : « Le roi ne pouvait à nuit
dormir, de penser à celle qui sa femme sera ; et demandait
au seigneur de la Rivière : " Quand la verrai-je ? " De ces

paroles avaient les dames bons rires... Quand elle fut
devant le roi... il vint vers elle, la prit par la main, et la
regarda de grande manière. En ce regard, plaisance et
amour lui entrèrent au cœur, car il la vit belle et jeune. »
Philippe le Hardi, comme bien on pense, était plutôt
satisfait de le voir en cet état : « Lundi nous guérirons ces
deux malades », déclara-t-il au dire du chroniqueur, qui
ajoute que, mariés le 17 juillet dans la cathédrale
d'Amiens, « ils furent en déduit (plaisir) cette nuit, ce
pouvez-vous bien croire ! » Charles avait offert à son
épousée un anneau portant un superbe rubis ; il ne cessera
de la combler de cadeaux : bijoux, vaisselle d'argent,
« tableaux d'or », tissus de soie.

Isabeau de Bavière ne fera pourtant que quatre ans plus
tard son entrée solennelle à Paris où elle recevra aussi son
sacre et sa couronne. Ce sera le 20 août 1389, au cours de
fêtes somptueuses qui marqueront aussi le mariage du
jeune frère du roi, Louis d'Orléans avec Valentine
Visconti ; ce mois d'août 1389 verra ainsi une succession
de fêtes de splendeur inégalée, jusqu'alors tout au moins,
à la Cour de France. Louis, de quatre ans plus jeune que
le roi et qui n'est encore que comte de Valois et duc de
Touraine (il recevra en 1392 le duché d'Orléans dont il
portera le titre), est un séduisant garçon qui manifeste
déjà son goût pour les plaisirs, le luxe et les vêtements
somptueux, et commence à prendre auprès de son frère
aîné une place d'autant plus importante que celui-ci,
l'année précédente, a écarté du gouvernement les princes
ses oncles et déclaré qu'il régnerait désormais par lui-
même. Jean de Berry, Philippe de Bourgogne en ont été

quelque peu dépités ; ils ont vu non sans amertume
revenir en faveur les anciens conseillers du roi Charles V,
ceux qu'on appelle les Marmousets parce qu'on les
compare à ces visages grimaçants qui servent de marteau
pour frapper à la porte des grands palais ; deux personnages se sont fait remarquer à cette occasion, l'évêque de
Laon Pierre Aycelin de Montaigu et surtout le connétable
Olivier de Clisson, devenu l'homme de confiance de
Charles VI ; le premier est mort peu de temps après cette
séance du conseil qui mit fin, le 3 novembre 1388, à
Reims, au gouvernement des oncles ; on n'a pas manqué
de parler d'empoisonnement ; quant au second, il ne
tardera pas à subir lui aussi le contrecoup de rancunes
solides ; en attendant, les Marmousets ont désormais la
charge des affaires royales : Bureau de la Rivière en qui
Charles V avait une confiance totale et qui avait reçu son
dernier soupir, Jean le Mercier, Jean de Montaigu dont
on murmure qu'il serait le fils naturel de Charles V (celui-
ci avait été très certainement sous le charme de sa mère
Biette Cassinel, une Lucquoise d'une extrême beauté
dont l'effigie nous a du reste été conservée) et enfin
Olivier de Clisson, le grand favori, le seigneur de Josselin
dont il a fait l'acquisition en Bretagne où d'ailleurs il ne
compte pas que des amis, car le duc de Bretagne, Jean IV
de Montfort, le déteste. Les Marmousets sont en réalité
gens de haute bourgeoisie, ou si l'on préfère, de petite
noblesse, qui entendent ramener la sage administration
du roi précédent et remettre de l'ordre dans les finances
quelque peu livrées au gaspillage au temps des ducs ; pour
commencer ils stabilisent la monnaie et décident de

reconstituer une réserve d'or qui pour plus de sûreté sera gardée, non en lingots, mais sous forme d'un bloc sculpté : un cerf en or (c'est l'emblème favori du roi) dont on exécutera réellement la tête et le cou sans jamais aller plus loin...

Toujours est-il que, en dépit de leur réputation de sagesse financière (qui n'empêche d'ailleurs pas le soin qu'ils prennent de leur propre fortune), les Marmousets auront dû pourvoir aux frais des fêtes d'août 1389 et largement ; Valentine Visconti y apparut dans tout l'éclat de sa beauté et des bijoux qu'elle apportait de Lombardie ; entre autres de cet argent « verré » — couvert d'un fin émail de verre — qui était la spécialité du pays. Et le poète Eustache Deschamps devait à cette occasion lui adresser une ballade qui a pour refrain : A bon droit doit de tous être louée.

De son côté, la jeune reine Isabeau dont on avait jugé lors de son arrivée en France cinq ans plus tôt qu'elle était trop simplement vêtue à la mode d'Allemagne, avait fait de notables progrès dans l'art de s'habiller avec élégance ; on remarqua le beau « doublet » de toile de Reims qu'elle portait à la messe du sacre et la robe de soie semée de fleurs de lys d'or qu'elle avait revêtue pour son entrée solennelle. Toutefois Isabeau avait un défaut : si elle ne manquait pas de générosité et savait donner, elle ne savait pas recevoir ; lorsque les notables parisiens vinrent à sa rencontre, lui offrant un tapis de drap d'or sur lequel s'étalait de la vaisselle d'or, elle n'eut pas un mot à leur adresse.

Les fêtes pourtant se déroulèrent dans la liesse en dépit

de la chaleur de ce mois d'août ; on banqueta et dansa dans les rues comme au palais, où la chaleur fut si intense qu'on dut briser une fenêtre, les dames se plaignant d'être à demi étouffées ; il y eut des joutes au champ Sainte-Catherine, disputées entre les « chevaliers du ray du soleil d'or », au milieu d'une capitale pavoisée et enguirlandée, où les fontaines déversaient des vins aux carrefours.

Si Christine assistait à ces fêtes, ce devait être pour elle le dernier souvenir de liesse populaire à laquelle elle ait participé. L'année suivante son époux Etienne Castel prenait congé d'elle, le 29 octobre, pour accompagner le roi en déplacement à Beauvais. Christine ne devait plus le revoir ; une épidémie sévissait dans les provinces picardes ; peut-être même la peste qui de temps à autre retrouvait une sorte de regain parmi les populations. Le roi lui-même allait être atteint d'une fièvre si « angoisseuse » qu'il en perdit les cheveux. Le 7 novembre, Etienne était mort.

Je suis veuve, seulette et noir vêtue
A triste vis simplement affublée ;
En grand courroux de manière adoulée
Porte le deuil très amer qui me tue.

« Comme déjà Fortune m'eût mise au déclin de sa roue, disposée au mal que donner me voulait pour m'aplatir au plus bas... »

« Fortune » est une évocation familière à Christine ; le

terme revient à chaque page dans ses écrits; il est
d'ailleurs très habituel en cette époque où l'on aime
personnifier les événements comme les sentiments; pour
Christine, il désigne tout ce qui arrive par hasard, toute
circonstance heureuse ou malheureuse, tout ce qu'en un
autre temps on eût appelé providence ou destin; du reste
l'habitude prise de personnifier le terme donne beaucoup
de force à cette allégorie de Fortune que traditionnelle-
ment on représente comme une femme, les yeux bandés,
faisant mouvoir une roue qui élève les êtres humains
jusqu'au sommet, mais ensuite les entraîne inexorable-
ment vers la chute et les écrase sous son poids. Christine,
à vingt-cinq ans, voit s'ouvrir des années au cours
desquelles « le déclin de la roue » ira s'accentuant, un
malheur après l'autre, tout sentiment d'espoir semblant
irrémédiablement perdu. Et ces maux personnels semblent aller de pair avec ceux qui frappent un pays de plus
en plus éprouvé dont elle ressent douloureusement les
angoisses, elle qui dès sa petite enfance a toujours été
mêlée à la vie des grands, et a trouvé naturel de vivre de
tout près les événements qui peuvent atteindre la famille
royale; deuil sur deuil, noir sur noir — puisque dès cette
époque on se revêt de noir lors des deuils — la jeune
veuve semble désormais vouée aux teintes sombres sur le
plus sombre des environnements.

Son époux avait été « surpris de hâtive épidémie »; sa
mort avait été soudaine, brutale. Sur cet époux très aimé,
Etienne Castel, reposait le sort de la famille : « Or fut
demeuré chef du ménage mon mari jeune et pru-
d'homme, sage et prudent, et très aimé des princes et de

toutes gens fréquentant son office par lequel, moyennant
sa sage prudence, était soutenu l'éclat de la famille. »
Entre lui et Christine, l'entente était parfaite. L'épidémie
le lui avait enlevé en quelques jours, loin de sa famille et
de sa maison. « Me le tollit (enleva) en fleur de jeunesse,
comme en l'âge de trente-quatre ans, et moi de vingt-
cinq ; depuis dix ans qu'il exerçait son office de notaire
royal, il était en sa fleur apte et apprêtée et sur le point
tant en science comme en sage et prudent gouvernement
de monter en haut degré » ; autrement dit : un jeune
homme plein d'avenir et qui voyait se dessiner pour lui
l'avancement qu'espère tout membre de toute administration depuis que celle-ci existe. « Je fus à bon droit pleine
d'amertume, regrettant sa douce compagnie et la joie
passée qui ne m'avait duré plus de dix ans. » Il lui fallait
soutenir « grand ménage », encore que la famille se soit
quelque peu restreinte dans ses dépenses depuis la mort
du roi et la demi-disgrâce, puis la mort de Thomas de
Pisan ; trois enfants : la fille aînée avait neuf ans à la mort
de son père et, des deux garçons qui suivaient, Jean
n'avait que sept ans, le plus jeune cinq ans. Les enfants
de Christine reproduisaient l'image du foyer dans lequel
elle-même avait vécu, étant l'aînée de deux frères qui
d'ailleurs demeuraient toujours à Paris avec elle.

Christine fut un moment terrassée par la douleur « plus
désirant mourir que vivre » ; son intuition féminine lui
faisait prévoir « le flot de tribulations qui sur elle
accourait ». Nul besoin d'ailleurs de recourir à l'astrologie pour cela, mais elle ne pouvait prévoir encore dans
tous ses détails ce qu'allait être pour elle « la vallée de

tribulations » — cette suite de désastres auxquels il lui
faudrait répondre coup par coup.

Une décision pourtant, prise dès le premier choc et sur
laquelle elle ne reviendra pas ; veuve à vingt-cinq ans,
Christine ne se remariera pas ; l'amour qu'elle éprouva
pour son époux, son premier amour, celui de ses quinze
ans, sera son seul amour ; sa vie à elle pourra s'écouler,
semée de heurts et aussi de rencontres — elle restera
fidèle à celui qui avait été son partenaire en ces dix années
de mariage heureux. « N'oubliant ma foi et bonne amour
promise à lui, je délibérai en sain propos de jamais autre
n'avoir » ; la phrase rappelle cette devise qui fut celle de
Philippe le Bon : « Autre n'aurai. » On retrouve ainsi
dans le langage du temps quelques-unes de ces devises
frappées comme des médailles que les grands adoptent et
que les petits répètent. « Je le dois » est celle de Louis
d'Anjou ; « Il me tarde », celle de Philippe le Hardi ; le
sire de la Gruthuyse, Louis de Bruges, adoptera une
formule dynamique : « Plus est en vous » ; tandis que —
prescience peut-être ? — celle de Charles VI a quelque
chose de navrant : « Jamais. » Sur les étendards blason-
nés, sur les écus des chevaliers, sur les tapisseries des
demeures princières qui parfois les ont conservées jusqu'à
nous, elles s'étalent, mais passent aussi dans le langage
courant, un peu comme les paroles de la liturgie.

Christine évoque par moments sa robe de noces :

Mantel de soie blanc sans tache
La queue tournant d'une attache
Liée au col, j'eus, belle et riche ;
En la poitrine noble affiche (parure).

Ce mantel de noces fait de soie blanche, qu'elle porta au temps de ses quinze ans, sera le rappel de son unique amour. L'époux que son père lui avait choisi, parmi nombre de « chevaliers nobles et riches clercs » qui la courtisaient, était alors un « jeune écolier quoique bien né et de nobles parents de Picardie, de qui les vertus passaient la richesse ». Christine lui restera fidèle ; elle reportera toutes ses capacités d'affection sur ses enfants qui sont « beaux, gracieux et de bon sens ». Très sensible aux liens familiaux, elle va être de nouveau frappée, car il s'avérera bientôt que ses deux frères, nés et élevés en France, sont pour elle une trop lourde charge. Christine a suffisamment de mal à faire vivre ses trois enfants, sa mère et une nièce pauvre qui a trouvé asile à leur foyer. Leur père possédait quelques biens à Bologne ; ils vont s'y rendre et tenter leur chance en Italie ; effectivement on retrouvera trace, en 1394, d'une vente par eux faite, probablement pour leur permettre de vivre. A l'époque, pareille séparation implique qu'on ne se reverra pas, et c'est pour Christine une cruelle épreuve qui l'atteint au profond d'elle-même : « Mes deux frères germains que j'ai, sages prud'hommes et de belle vie, qu'il a convenu que parce qu'ici n'étaient pourvus, ils aillent vivre au pays là-bas sur les héritages venus de mon père. Et moi qui suis tendre et à mes amis naturelle je me plains à Dieu quand je vois ma mère sans ses fils qu'elle désire, et moi sans mes frères. »

A ces peines, allait s'ajouter une foule de préoccupations sordides qui s'inscrivent, lancinantes, sur ce tableau de souffrance profonde, irrémédiable. Christine, pour les siens, est devenue « le patron de la nef demeurée en la mer en orage ». Il lui faut prendre en main la direction du ménage dont son époux soutenait « l'état ». Et d'abord il s'agissait d'assurer le pain quotidien. Les gages des notaires royaux ne sont pas toujours exactement payés à l'époque ; il ne se passera pas moins de vingt et un ans avant que Christine puisse récupérer les arrérages dus à son mari par la Cour des Comptes. Non sans qu'elle ait dû intenter un procès qui aura duré treize années : jusqu'en 1403 ; mais, ce procès une fois gagné, Christine dut encore attendre jusqu'en 1411 pour obtenir qu'enfin les sommes dues lui soient versées. Elles ne l'auraient probablement jamais été sans l'intervention de celui qui, depuis 1408, avait été nommé président de la Chambre des comptes, Guillaume de Tignonville, lequel avait été auparavant prévôt royal à Paris ; encore le geste du roi acquittant cette dette fut-il considéré comme une gratification, non comme le paiement d'une somme due à Etienne Castel — ce qui fut ressenti comme une injustice par Christine, après avoir si longuement réclamé son dû,

Ainsi souvent, quand poursuivis
On les a longtemps, et suivis —
On n'a rien fait, c'est à refaire...
Ce sais-je, je l'ai éprouvé ;
Parler en puis de fait prouvé
Car longtemps les ai poursuivis
Et en maintes places suivis
Avec bon mandement royal

Non de don, mais dette loyale,
Moi étant en perplexité
Et en grande nécessité.

Ce long procès qui l'accompagna durant toute une tranche de son existence n'était pas, il s'en faut, sa seule cause de soucis.

Aucune des malhonnêtetés auxquelles peut être exposée une femme seule, une veuve, ne lui sera épargnée. Et d'abord parce qu'elle ignorait l'état exact des affaires de son mari : « Comme je ne fus au trépassement de mon mari qui n'était accompagné que de ses serviteurs et de personnes étrangères, je ne pus savoir précisément l'état de sa chevance. » Disparu en pleine vigueur, à trente-quatre ans, Etienne avait sans doute jugé inutile d'initier sa jeune femme à tous les détails de sa charge et des affaires qui pour lui suivaient un cours normal. Dure expérience qui fait comprendre à quel point est mauvaise « la coutume commune des hommes mariés de ne dire et déclarer leurs affaires entièrement à leur femme ». Ici c'est bien la femme du notaire royal qui parle ; à la campagne les rurales de petit ou de haut niveau prennent part à l'administration du domaine comme à la bonne marche de la ferme ; en ville le bourgeois manifeste depuis longtemps déjà cette tendance, qui ira s'aggravant avec le temps, à mener seul ses affaires.

La disparition soudaine d'Etienne Castel laisse Christine totalement dépourvue, obligée jour après jour de se débattre elle-même contre des créanciers sans scrupule. Elle passait brutalement de la situation de fille de famille

aisée « nourrie en délices et mignotement » à celle de
maîtresse de maison dépourvue à la fois d'argent et
d'expérience. « Lors me sourdirent angoisses de toutes
parts ; et, comme c'est la pâture des veuves, plaids et
procès m'environnèrent de tous côtés. » Elle avait affaire
à la fois aux débiteurs peu scrupuleux qui prenaient les
devants pour qu'elle ne puisse recouvrer l'argent dû à son
époux, et aussi aux obligations par lui contractées ou par
son père : « Ceux qui me devaient m'assaillirent pour que
je n'aille rien leur demander... Tel qui me demandait le
témoignage du papier des sommes prêtées par mon
mari... tel frauduleux qui parlait de sa dette comme payée
— menteur qui fut confus et plus n'osa parler ni soutenir
son mensonge — tout empêchement me fut mis sur
l'héritage que mon mari avait acheté ; et comme il fut mis
en la main du roi il me fallait en payer la rente sans en
jouir » ; il s'agissait là sans doute de la rente attachée au
terrain de la tour Barbeau que le roi, effectivement, avait
donnée à son père moyennant une rente. Autant d'injus-
tices, de situations sans issue, entre lesquelles il lui fallait
se débattre ; elle évoque avec amertume le « long plaid »
qu'elle a dû mener contre tel président de la Chambre des
Comptes, un homme « sans pitié... de qui avoir droit ne
pouvais » ; beaucoup le savent ; et lui, « envieilli en ses
péchés », feint encore de n'en rien savoir. Christine,
lorsqu'elle écrit ces lignes en des temps meilleurs pour
elle, ne peut dissimuler sa rancune envers cet homme
« envieilli » qui l'a lésée et n'en veut convenir.

Et ce n'est pas tout. Christine dispose d'une petite
somme laissée par son époux, qui constitue le seul bien de

ses enfants mineurs. Leur tuteur lui conseille de la faire
valoir. Elle y consent et la confie, comme cela se faisait
souvent, à un marchand. Il était habituel de placer ainsi
l'argent qu'on souhaitait faire fructifier : on le remettait
« en commande », par exemple aux négociants fréquentant les grandes foires du nord de la France ou plus
souvent, à l'époque de Christine, les foires de Lyon ou de
Lombardie, ou encore se rendant outre-mer, ce qui était
devenu infiniment plus rare qu'au siècle précédent ;
l'argent ainsi investi servait à acheter tissus, épices, ou
autres denrées qui alimentaient les boutiques de l'épicerie
parisienne où elles étaient revendues avec de beaux
bénéfices ; ces bénéfices étaient ensuite partagés par
moitié ou au tiers ou au quart du gain. Tout se passe bien
la première année ; mais, une seconde fois, ce même
marchand en qui Christine avait désormais confiance
« tenté par l'ennemi lui fit croire qu'il avait été dérobé ».
Elle essaya de le poursuivre, engagea contre lui un autre
procès, « et cela fut perdu » : la preuve en telle circonstance était difficile à faire.

D'autres procès encore surgissent : on lui réclame une
rente sur des héritages de son père ; aucun des papiers
faits lors de l'achat n'en portait mention. Christine prend
conseil ; les meilleurs avocats qu'elle consulte lui disent
« que hardiment sur ce elle se défendît » ; sa cause était
bonne, mais il se trouve que les témoins de la vente qui
s'en étaient portés garants étaient morts à l'étranger, si
bien que ceux qui la poursuivaient, en dépit de la
faiblesse de leur position, probablement plus avertis

qu'elle sur les procédures à suivre et les roueries à employer, avaient gain de cause.

« Je vis le temps qu'à quatre cours de Paris, j'étais en plaids et procès défenderesse. » Quatre procès, quatre cours différentes, maîtres des enquêtes et maîtres des requêtes, procureurs et avocats, tous gens de plaids et procédure, aptes à esquiver ce que l'équité commande et à faire valoir ordonnances, décrets, rejets, pourvois, etc. Le tout se traduisant invariablement par « très grands frais et coûts ».

« Dieu ! quand il me souvient comment tant de fois j'ai musé toute la matinée dans ce palais en hiver, mourant de froid, épiant ceux de mon conseil pour leur rappeler et solliciter la besogne. » Aura-t-elle assez erré entre les quatre cours, la veuve Castel, exposée aux « rigolages » de ceux qui la voyaient dans son manteau doublé de petit-gris qui s'effilochait peu à peu, une saison après l'autre, la fourrure usée montrant la peau, le surcot d'écarlate qu'elle ne pouvait renouveler se décolorant, râpé jusqu'à la doublure. Et cela pour entendre des réponses dila-toires, des paroles dures, des conclusions qui parfois la faisaient « suer des yeux » dit-elle en son langage plein de saveur ; elle aura été en butte à tant de paroles dédaigneuses, à tant de regards moqueurs de tous ces gens « remplis de vin et de graisse », narguant la malheureuse dont le sort dépendait de l'examen d'un dossier, de l'étude consciencieuse de sa cause dont personne ne se souciait ; et cela, entre deux accès de fièvre, quand chaque pas lui coûtait.

Au lit malade, couchée
Tremblant d'une fièvre aiguë...
J'ai les yeux troubles, et voix mue
Car jà me défaut (manque) le cœur.

Car c'en était trop, Christine tomba malade ; de
complexion fragile, sa santé se détériorait ; elle avait
jusqu'alors puisé dans ses soucis eux-mêmes l'énergie de
résister ; mais ces coups imprévus, répétés, et qui surgis-
saient en des circonstances désarmantes, hors de toute
raison comme de toute prévision possibles, finissaient par
saper ses capacités physiques.

C'est alors que se répand à travers le royaume la
terrible nouvelle : le roi Charles VI vient d'être frappé
d'un accès de démence. En traversant la forêt du Mans,
sous une chaleur accablante, il s'est mis soudain à frapper
au hasard sur son entourage ; quatre hommes de l'escorte
ont été tués avant qu'on soit parvenu à le maîtriser.

« On dit beaucoup de choses du roi de France et de
plusieurs façons, mais d'après quelqu'un, il semble bien
que le roi soit sorti hors de lui et qu'il soit devenu fou ; à
voir les choses qu'il a faites, c'est à croire. Il paraît qu'en
allant à la chasse le cerveau lui a tourné, il a mis la main à
son épée disant : « Je suis trahi » et il a frappé son frère
sur la tête, et grièvement, ainsi que vingt-cinq des autres
bons écuyers qui étaient avec lui. Il tua deux grands
maîtres et il n'y eut personne qui put le retenir jusqu'à ce
qu'il fût bien fatigué ; ensuite on le prit et on le porta à
une certaine église et là vinrent plusieurs médecins ;

d'après ce qu'ils disent, il ne peut réchapper », écrit un témoin du temps, Italien, résidant en Avignon.

Une sorte de stupeur paralysante s'étend sur le royaume. On s'est souvenu à cette occasion que la mère du roi, Jeanne de Bourbon, avait eu des accès de folie ; Charles V son époux avait été en grande détresse quand en 1373 la reine — bien jeune encore, puisqu'elle n'avait que trente-cinq ans — avait eu quelque temps l'esprit égaré, ne reconnaissant pas les siens, et paraissant « hors de sens ». En fait, la folie est une maladie du temps ; les malheurs qui se sont abattus sur l'Europe, particulière-ment l'Europe de l'Ouest : famine du début du siècle, guerre et surtout la grande peste de 1348 (la reine avait alors dix ans) ont créé un climat d'insécurité, de désarroi propice à l'aliénation mentale ; on verra deux ans plus tard, en 1375, fonder à Hambourg le premier asile d'aliénés ; jusqu'alors les cas de folie étaient trop rares, trop sporadiques pour qu'on ait envisagé la création d'hôpitaux spéciaux pour les malades mentaux, comme on l'avait fait cent ou deux cents ans auparavant pour les lépreux.

Pourtant la maladie de Jeanne de Bourbon n'avait été que temporaire ; à Noël elle était rétablie ; le roi avait pu reprendre avec elle une existence normale ; leur dernière fille, Catherine, devait naître cinq ans plus tard, mais sa naissance cette fois coûta la vie à sa mère.

Qu'en serait-il pour le roi Charles VI ? A coup sûr l'hérédité maternelle chez ce fils premier-né aura été le germe de son mal : on rappelle que dès l'enfance il a manifesté de curieuses phobies, que ses sautes d'humeur inquiétaient son entourage.

— Que va devenir le royaume à présent ? Christine le compare à sa propre famille, nef sans gouvernail cahotée par des flots qui échappent à tout contrôle ; n'était-elle pas elle-même victime d'une sorte de folie du sort ? Comment Fortune peut-elle autant s'acharner sur elle ? Elle a beau « disposer ses faits par bons conseils et ordonnances », tout ce qui arrive est contraire à ce qu'on aurait pu prévoir ; tout tourne au plus mal en dépit des conseils dont elle cherche à s'entourer.

Christine dut se décider, à la fin de cette terrible année 1392, à vendre l'héritage venu de son père, les biens qu'elle possédait à Mémorant, à Perthes et à Etrelles, le tout non loin de Melun sur les bords de la Marne ; ils lui furent achetés par Philippe de Mézières et pour quelque temps durent apaiser tout au moins les dettes les plus criantes et les frais de procès les plus lourds : « Ainsi ne cessa la sangsue de Fortune de sucer mon pauvre avoir. »

Son pire chagrin est alors pour ses proches, sa mère, ses enfants, cette nièce qui vit au foyer « je plaignais plus mes prochains que ma personne », écrit-elle. Qu'elle-même soit exposée aux paroles rebutantes et au mépris des gens de loi, passe encore ; mais elle tenait à ce que l'état de sa maison demeurât tel qu'il avait été pour les siens au temps passé ; et c'est un autre souci, peut-être le plus cruel : « La peur qu'on s'aperçût de mes affaires et le souci que n'apparût à ceux du dehors et aux voisins, la déchéance de ce malheureux état. » Repassant en esprit cette dure période — dure et longue, puisque les procès traînèrent

quatorze ans — elle s'écriait plus tard : « Il n'est douleur
à autre pareille, et nul ne le croit s'il ne l'essaie »
(l'éprouve). Aussi bien, sous ses habits élimés, Christine
garde-t-elle la dignité de la femme du notaire royal ; peu
importe si elle frissonne sous le petit-gris râpé ; peu
importe si elle passe « en beau lit et bien ordonné de
males nuits » ; inutile de dire que son train de vie est des
plus sobres. Rien n'empêche que de temps à autre les
sergents ne pénètrent à son domicile et ne lui enlèvent
« des chosettes » auxquelles elle tenait ; « mais plus
craignait la honte ». Peu à peu s'en vont ainsi les meubles,
les tableaux, les coffrets précieux et jusqu'à ces beaux
« manuscrits hébraïques », don du roi Charles V, auxquels son père attachait tant de prix ; les bijoux, les
tentures, tout ce qui fait la beauté d'un intérieur modelé
au goût de la famille, devait ainsi s'en aller « quand
exécution était faite » ; traduisons : par effet de justice.

Or, pire que tout, Christine, à travers tant de dures
expériences, apprend que l'on peut être « diffamée sans
cause » ; ne voilà-t-il pas qu'on raconte partout qu'elle a
des amours coupables ? Les allées et venues de la jeune
veuve qui n'atteint pas encore la trentaine, on les attribue
à quelques « accointances » et fréquentations inavoua-
bles ; elle s'est maintes fois « émerveillée », dit-elle, de
voir ainsi naître des soupçons à ce point dénués de
fondement ; généralement elle en sourit ; aux noms qui
circulent de bouche en bouche, elle répond en elle-
même : « Dieu, lui et moi, savons bien qu'il n'en est
rien » ; reste que par moments aussi elle en est irritée et
troublée.

Que dire ? Des années et des années passent, le plus
clair de son temps consacré à tenter ainsi de se faire
rendre justice, se débattre comme mouche dans une toile
d'araignée, se heurter à la gent de loi et de procédure ;
« Et que ce soit long travail et ennuyeux je m'en rapporte
à ceux qui éprouvé l'ont ; et plus déplaisant que jamais en
ce temps-ci... Et moi, femme faible de corps et naturellement craintive, me fallut faire de nécessité vertu... ; me
convenait trotter après eux selon le style, puis en leurs
cours ou salles muser avec ma boîte et mes mandements,
la plupart du temps sans y rien faire, pour enfin avoir des
réponses qui me donnaient espérance, mais longue était
l'attente. » Terrible expérience d'un monde hostile à
travers lequel, peu à peu, elle a appris à se défendre.

CHAPITRE III

LE CHEMIN DE LONGUE ÉTUDE

De triste cœur chanter joyeusement
Et rire en deuil, c'est chose forte à faire !

OMMENT Christine a-t-elle pu passer par une telle expérience sans s'y laisser étouffer ou en devenir elle-même aigrie et amère ? Elle possède une arme secrète, une seule, et tout intérieure : la poésie. Depuis toujours, elle aime le rythme et la rime ; une fois — précisément cette année 1390 qui a été pour elle l'année terrible, celle de la mort de son époux — elle a pris part à un concours poétique et sa ballade y a été bien reçue. Depuis, son unique ressource, au milieu des querelles procédurières, face à ces avocats et hommes de loi sordides, a été ce trésor poétique qu'elle sent en elle-même et auquel elle donne forme et expression parce que c'est pour elle une nécessité absolue d'avoir ainsi un domaine privilégié, un refuge, un remède ; ce qu'elle ne trouve nulle part dans sa vie courante, du moins le puisera-t-elle en elle-même ; il y a là une source qu'elle

sent toute prête à s'épancher. Certain jour, écœurée de ne
trouver « nulle part grand ni petit charitable, bien qu'à
plusieurs nobles et grands j'aie requis l'aide de leurs
paroles », un jour donc, toute déconfortée elle projette
son découragement dans une ballade.

> *Hélas ! où donc trouveront réconfort*
> *Pauvres veuves de leurs biens dépouillées*
> *Puisqu'en France qui sut être le port*
> *De leur salut, et où les exilées*
> *Pouvaient fuir, et les déconseillées,*
> *A ce jour ci n'y ont plus amitié.*
> *Les nobles gens n'en ont nulle pitié*
> *Et n'en ont plus les clercs, ou grands ou moindres,*
> ....
> *Secourez-les, et croyez mon ditié*
> *Car nul ne voit qui vers elles soit tendre*
> *Ni les princes ne les daignent entendre.*

Ce jardin clos de poésie, longtemps cultivé en secret,
elle n'allait pas tarder à l'ouvrir, à l'étendre ; voilà du
moins un domaine sur lequel les rires, les sous-entendus
moqueurs, ou la morgue des gens de loi n'avaient aucune
prise. La ballade sur les veuves, loin d'être seule sortie de
la plume de Christine, n'était qu'un échantillon parmi des
douzaines et des douzaines de poèmes du même genre ;
ballades, rondeaux, virelais — toutes les formes à la mode
en son temps, qu'elle-même admirait chez un Guillaume
de Machault ou chez Eustache Deschamps — allaient peu
à peu, au fil des années, former déjà une œuvre poétique :

elle-même déclare qu'en 1399 elle avait écrit cent ballades.

La plupart sont des « complaintes pleurables, regrettant mon ami mort et le bon temps passé » ; mais, comme
Christine réagit sans cesse et tente de dominer son
chagrin, elle y ajoute des « dits amoureux et gais... pour
quelque gaieté attirer à mon cœur douloureux ». Accord
profond entre son être et son œuvre, encore que s'y fasse
jour un déchirement pathétique : au milieu de ses
souffrances et de son deuil, la forme primesautière de ses
poèmes l'oblige à se dépasser elle-même. Et c'est à ce prix
qu'elle réussit, que son talent poétique est admiré,
qu'autour d'elle on devient peu à peu attentif aux
ballades, aux rondeaux, aux « jeux à vendre » de Christine. Car elle aborde tous les genres de la poésie courtoise
en usage, toutes les formes au goût du jour ; la ballade
mise à la mode depuis le début du siècle avec ses strophes
à refrain et son envoi à un prince — d'ailleurs assez rare
dans les premières œuvres de Christine, mais d'autant
plus pathétique lorsqu'il existe :

> *Prince, priez à Dieu que bien briefment*
> *Me donne mort s'autrement secourir (si autrement)*
> *Ne veut le mal où languis durement.*
> *Et si ne puis ni guérir ni mourir.*

Ou encore, c'est le rondeau, plus léger, en trois
strophes inégales scandées par un refrain qui est le
premier vers repris et répété trois fois :

> *Il me semble qu'il a cent ans*
> *Que mon ami de moi partit*
> *Il aura quinze jours partant :*
> *Il me semble qu'il a cent ans*
> *Ainsi m'a ennuyé le temps*
> *Car, depuis lors qu'il départit,*
> *Il me semble qu'il a cent ans.*

Ou ce sont les innombrables lais ou virelais qui sont depuis toujours en honneur dans la poésie médiévale — formes souples qui permettent tous les modes d'expression :

> *Et si en contrée lointaine*
> *Votre noblesse vous mène*
> *Et la prouesse hautaine*
> *Qui vos nobles cœurs demaine, (habite)*
> *Ce me sera moult grand peine,*
> *Mais je prendrai réconfort*
> *En ce que je suis certaine*
> *Que de vrai amour certaine*
> *Comme dame souveraine*
> *M'aimez de tout votre effort.*

Puisant aux trésors de l'inspiration courtoise, Christine sera alternativement l'amant et la Dame ; elle touchera à tous les thèmes qu'Amour peut susciter : le mal de l'absence :

> *Hélas, m'amour, vous convient-il partir*
> *Et éloigner de moi qui tant vous aime ?*

celui de l'espoir :

> *L'espoir que j'ai de rev(e)oir ma Dame*
> *Prochainement, me fait joyeux chanter*
> *A haute voix, au vert bois, sous la rame (rameau)*
> *Où par déduit (plaisir) j'ai appris à hanter.*

Il y a cette inquiétude qu'apporte aux amants l'éloignement — celui qui est parti « en nef, en barque ou nacelle » et dont l'absence cause souci :

> *Ou peut-être qu'il aime autre plus belle*
> *Que je ne suis...*

Et l'attente qui se prolonge, éloigne l'amour :

> *Jamais à moi plus ne s'attende*
> *Celui à qui plus ne m'attends,*
> *Puisque vers moi ne vient ni mande*
> *Attendu l'ai deux ans par temps ;*
> *Plus ne m'en veux donner mal temps...*

c'est alors la rupture :

> *N'en parlez plus, je ne veux point aimer ;*
> *Sire, pour Dieu, veuillez vous en retraire !*

Et ce sont les reproches de celui ou celle qui se savent trompés :

> *Trop me déçut Amour par votre chère (attitude)*

Qui démontrait, mon cœur bien le retient,
Que vous m'aimiez de vrai amour entière...

Suit la fureur contre tous les faux amants :

Soient donc tous les faux amants maudits !

Entre autres ennemis du dieu d'Amour, le médisant !
C'est un lieu commun de la poésie courtoise, Christine
voue aux médisants une haine de convention qu'elle
exprime agréablement. Contre « ces médisants qui veulent tout savoir », elle s'adresse aux « vrais amoureux,
jeunes, jolis et gais ».
Elle leur prodigue ses conseils :

Votre maintien soit bel et en tous lieux
Soit plaisamment Dame de vous servie.

Elle plaide aussi pour le mariage :

Douce chose est que mariage ;
Je le puis bien par moi prouver.
Voire : à qui mari bon et sage
A, comme Dieu m'a fait trouver.

En bref, Christine aborde tous les thèmes en faveur et
se sert de tous les modes d'expression, poussant au besoin
le talent poétique qui est le sien jusqu'à la virtuosité. Ses
poèmes en rimes léonines montrent avec quelle facilité
elle jongle avec le vers :

> *Et si aucun n'ont de ta vie*
> *Nulle envie*
> *Mais la veulent mépriser*
> *Gentillesse est d'eux ravie... (ôtée)*

Exercice de style ; mais toute sa poésie n'est-elle pas, plus ou moins, exercice de style ?

Lorsqu'elle réunit ses cent ballades pour en faire un recueil, Christine, en tête, indique qu'elle écrit pour faire plaisir à ceux qui le lui ont demandé :

> *Puisque prié m'en ont par leur bonté*
> *Peine y mettrai, combien qu'ignorant sois*
> *Pour accomplir leur bonne volonté.*

Elle y reviendra au milieu du recueil, prévenant le lecteur que ce qu'elle dit, ce qu'elle écrit, ne sont que « feintise ».

> *Aucunes gens pourraient méjuger*
> *Pour ce, sur moi, que je fais dits d'amours...*
> *Qui pensé l'a s'en veuille décharger,*
> *Qu'en vérité ailleurs sont mes labours.*

Elle insiste assidûment sur cette sorte de double jeu qui est sa vie : « Sa dolente vie obscure »...

Et ce sont sans doute ses plus beaux poèmes, ceux qui aujourd'hui nous paraissent les plus pathétiques, les plus prenants — ceux qui chantent son deuil et aussi cette nécessité où elle se trouve de jouer en poésie une comédie perpétuelle. Elle peut bien célébrer les amants, badiner à propos de leurs angoisses (« *Qui plus se plaint n'est pas le plus malade* »), s'amuser de celui qu'on voit souvent au moûtier parce qu'il va y rencontrer sa belle, ou de celui qu'elle éconduit gentiment :

> *Vous n'y pouvez, la place est prise !*
> *Sire, vous perdez votre peine...*
> *Car je vous dis qu'en nulle guise*
> *Vous n'y pouvez, la place est prise.*

Ou encore faire des envois d'étrennes au jour de l'An :

> *Ce jour de l'An que l'on doit étrenner*
> *Très chère Dame, entièrement vous donne*
> *Mon cœur, mon corps tant que je puis finer...*
> *Si vous envoie ce petit diamant :*
> *Prenez en gré le don de votre amant.*

Pour elle, rien n'existe que « le déplaisir de sa vie ennuyeuse » (ennui a alors le sens fort de : chagrin).

En fait, le thème essentiel de Christine, c'est sa propre souffrance ; elle se considère comme l'enfant qui a perdu « sa mère et sa nourrice » :

> *Jamais de moi nul ne prendra la cure (le soin)*
> *Puisqu'ai perdu ma douce nourriture.*

Cette douleur poignante, elle lui a fait souhaiter la mort :

> *Car d'autre rien nulle je n'ai envie*
> *Hors de mourir ; de plus vivre n'ai cure*
> *Quand cil est mort qui me tenait en vie...*

Le « déconfort » qui la mine l'a poussée jusqu'à la tentation du suicide :

> *Que souvent me met à l'oreille*
> *Grief désespoir qui me conseille*
> *Que tôt je m'occie...*

Mais non ; elle saura supporter : « C'est souverain bien que prendre en patience. »

Elle se refuse toute consolation facile ; elle a résolu de ne pas se remarier : « N'en parlez plus, je ne veux point aimer. » Si elle chante l'amour ce n'est plus que « par couverture ». Pour elle, seul comptera cet autre amour auquel elle fait allusion dès ses premières ballades :

> *Chacun vrai cœur se doit enamourer*
> *De la vraie célestielle lumière*
> *Et du seul Dieu que l'on doit adorer :*
> *C'est notre fin et joie dernière...*

Elle scande douloureusement sa propre existence en évoquant, au fil des années qui passent, le temps de son deuil :

> *Il a cinq ans que je t'ai regretté...*

et plus tard :

Il a sept ans que le perdis...

Et encore :

Comment ferai-je mes dits
Beaux ou bons ou gracieux
Quand des ans a près de dix
Que mon cœur ne fut joyeux...

On ne peut oublier ce deuil profond en arrière-plan de
l'œuvre entière de Christine : c'est celui d'un grand
amour vécu :

Mon doux ami qui en joie sans ire
Tenait mon cœur, et en toute liesse.

Amour unique et total, né en elle « dès son enfance et
première jeunesse », qui fait penser à celui d'Héloïse pour
Abélard et par lequel Christine s'apparente aux héroïnes
de roman, à Yseult la Blonde.

Aussi bien trouve-t-elle aisément les accents qui lui
permettent de chanter le bonheur ou le malheur d'aimer.
Dans le poème qui s'intitule le *Livre du duc des vrais
amants,* bien qu'il s'agisse d'une œuvre composée sur
commande, elle évoquera dans la plus pure tradition
courtoise, celle de Guillaume de Lorris dans la première
partie du *Roman de la Rose,* toutes les nuances de
l'amour, sa naissance dans le cœur du jeune duc, la

passion qui le bouleverse jusqu'à lui faire perdre le sommeil et l'appétit, la Dame aimée, figure de rêve, « à longues tresses », qui « de ses doux yeux riants » accueille l'adolescent, les joies furtives d'un amour menacé tant par la jalousie du mari que par les éternels ennemis de l'amour : les médisants, la souffrance de la séparation quand le jeune duc s'en va séjourner en Espagne durant un an. Les angoisses et les instants de bonheur au cours d'une liaison qui dure treize années — sans oublier les conseils sévères de Sibylle de Monthaut, dame de la Tour, qui exhorte les dames à garder leur renommée. Jusqu'au moment où l'amant et la dame suivent chacun leur chemin, leur passion peu à peu apaisée laissant place « aux tendres souvenirs ».

De même Christine aborde-t-elle avec aisance l'un des thèmes les plus cultivés de la poésie médiévale dans le *Dit de la Pastoure*. Poème particulièrement remarquable, parce que, s'il correspond, encore une fois, à un genre très habituel — il n'est guère de trouvère qui n'ait composé au moins quelques vers sur la bergère qui aime un chevalier ou le chevalier qui poursuit une bergère — il se trouvait à l'époque où Christine l'écrivit (et elle dit elle-même l'avoir composé au mois de mai 1403) pleinement d'actualité. La reine Isabeau ne venait-elle pas en effet d'acheter une bergerie ? Mention de cet achat apparaît le 4 mars 1398, pour la somme de quatre mille écus d'or, dans les comptes royaux. Dans cette bergerie située à Saint-Ouen, Isabeau aimait se rendre avec ses dames d'honneur. Ce goût écologique pour une vie simple qu'incarne idéalement celle du berger et de la bergère

semble bien avoir ainsi ponctué l'histoire de notre
Occident, par réaction à la vie sophistiquée des villes et
des palais. On le retrouvera à peu près identique à la fin
du xviiie siècle avec Marie-Antoinette à Trianon, et de
nouveau à la fin de notre xxe siècle, incarné par quelques
rêveurs obstinés et sympathiques en Haute-Provence.
C'était donc complaire à toute une haute société que
d'aborder ce thème dont Christine prévient d'ailleurs
qu'elle le fait aussi pour secouer :

> Aucunement la pesance
> Dont je suis en mesaisance
> Qui jamais ne me fauldra (ne s'écartera de moi)
> Car oublier impossible
> M'est le doux et le paisible
> Dont la mort me sépara.

C'est donc une fois de plus pour trouver en elle-même
le courage quotidiennement nécessaire à son existence
qu'elle entreprend ce *Dit de la Pastoure*. Du moins cette
fille de la ville sait-elle brosser un tableau à la fois très
naturel et plein de fraîcheur de la vie d'une « bergerette » :

> Agneaux en la bergerie
> Soigner, mettre foin en crèche,
> Semer au toit paille fraîche,
> Et les moutons d'une part
> Trier, oindre et mettre à part,
> Brebis traire, et faire à heure
> Agneaux téter...

et d'ajouter des détails gracieux : comment la bergère occupe son temps :

> *A ouvrer de fils de laine*
> *En chantant à haute haleine,*
> *Faisant ceinturette ou coiffette.*

Avec elle, les bergers qui s'appellent Regnaut, Perrot ou Gilon et qui à leurs outils habituels : ciseaux et forces pour tondre les bêtes, ajoutent le tambour et la musette pour faire danser les filles ; et elle décrit leurs jeux imités du tournoi des chevaliers lorsqu'avec des boucliers d'écorce et des épées de bois ils se livrent à des joutes pour rire, tandis que les bergères tressent des chapels de fleurs. Déjà, à l'époque, toute fille de la campagne est plus ou moins « bergère ». Celle que Christine met en scène aimera un chevalier ; ce sera l'aventure de sa vie et le prétexte à rondeaux, tandis que la bergerette se demande « d'où me vient telle aventure »» et que le chevalier, de son côté, ne peut plus s'arracher à cet amour de pastorale, dont le souvenir laissera à l'un et à l'autre d'amers regrets.

Mais les amateurs de pastourelles sont également amateurs de fêtes galantes et, inutile de le dire, Christine se plaît aux unes comme aux autres ; rien ne manque à ses évocations quand « la fête fut apprêtée », que les joutes sont annoncées, que les chevaliers proposent de « jouter à tout venant » ; elle prend plaisir à décrire la prairie au pied du château près d'un étang ; sous les grosses tours les

pavillons dressés, les ménestrels qui à grand renfort de
trompes et nacaires précèdent les jouteurs, les somptueuses robes de velours vert à la livrée du seigneur qui
reçoit, distribuées aux chevaliers, les écuyers vêtus de
satins brodés d'argent, les dames assises au souper avant
le vin et les épices que l'on sert à la société — sans oublier
les « chapels de pervenches » que chacune d'elles remet
au champion de son choix. Et l'on croirait voir surgir une
miniature du *Livre des tournois du roi René* dans la
description de ces fêtes qui s'échelonnent sur plusieurs
jours, danses, joutes et banquets alternant.

Sans parler de ces « jeux de société » qui sont aussi
émulation poétique. Et d'où naissent, de la part de
Christine qui y excelle, ces ravissants petits poèmes de la
série des « jeux à vendre ». Ils se sont perpétués jusqu'à
notre temps sous la forme : « Je vous vends mon
corbillon, Qu'y met-on ? » ; le premier vers étant pro-
posé, il s'agit de continuer en quatrain, en sizain :

> « *Je vous vends la passerose,*
> — *Belle, dire ne vous ose*
> *Comment Amour vers vous me tire :*
> *Si l'apercevez tout sans dire.* »

Ou encore :

> « *Je vous vends le songe amoureux*
> *Qui fait joyeux ou douloureux*
> *Etre, celui qui l'a songé.*
> — *Ma Dame, le songe que j'ai*
> *Fait à nuit, ferez être voir (vrai)*
> *Si je puis votre amour avoir.* »

Ou, sur un ton plus amer :

« Je vous vends la fleur d'ancolie.
— Je suis en grand mélancolie,
Ami, que ne m'ayez changée ;
Car vous m'avez trop étrangée (rendue autre que je n'étais)
Dites-m'en le vrai, sans ruser,
Sans plus me faire en vain muser.

Ainsi la fête se poursuit-elle en tournoi littéraire, une fois le baiser traditionnel échangé après la danse, entre dame et cavalier.

L'hôtel de Louis d'Orléans et Valentine Visconti aura vu maints ébats de ce genre, où se retrouvent les familiers du roi et de son frère, les deux Bracquemont, Guillaume et Robert, l'argentier Denis Mariette, le chambellan Jean Prunelé, et tant d'autres qui se rendront célèbres sur les champs de bataille : Jean de Châteaumorant, Archambaut de Villars, Clignet de Bréban, ou le très sympathique Arnaud-Guilhem de Barbazan.

Mais un thème surtout sera cher à Christine ; et celui-là elle le trouve, non dans la société qui l'entoure, mais dans sa propre expérience. Elle-même a raconté comment lui est venue l'idée de composer une ballade sur les veuves à qui personne ne vient en aide, ce qui prouve que les mœurs de la chevalerie d'autrefois vont à leur perte.

Princes et nobles auraient au temps jadis secouru ces
« veuves dépouillées », laissées face à face avec des gens
d'affaires et magistrats iniques ; bientôt elle développera
tout ce qui touche à sa condition de femme, regrettant un
passé qui s'en va, souhaitant pour elle et pour ses
semblables ce que la société de plus en plus leur refuse.
Ainsi naîtra, dans son ouvrage de la *Cité des dames*, le
mythe de Sémiramis. Il s'agit d'un conte tiré des lettres
antiques et qui avant elle avait inspiré Boccace.

Ce personnage de Sémiramis prend chez Christine une
grande importance ; c'est la femme seule, autonome, la
veuve. Le récit de Boccace s'agrémentait des sous-
entendus que l'on imagine. Christine de Pisan, elle, en
fait l'image de la femme seule dont tous les actes, toutes
les décisions doivent être courageuses ; ce courage — tous
les commentateurs l'ont fait remarquer — c'est la vertu
essentielle du personnage. On se demande si pour
Christine ce n'est pas une vertu essentielle à la femme : le
courage qui donne la force d'agir, qui fait la grandeur de
la reine et lui permet de garder intact ce patrimoine, « les
royaumes et terres que son mari et elle avaient, tant de
leurs propres biens que conquis à l'épée ». Idéal masculin, a-t-on dit ; c'est en effet ce que Christine dit d'elle-
même, par exemple dans le *Livre de mutation de fortune* :

> *Fort et hardi cœur me trouvai,*
> *Dont m'ébahis, mais j'éprouvai*
> *Que vrai homme fus devenue.*

Ne veut-elle pas souligner par là que par sa propre

expérience elle sait qu'un courage semblable peut animer
une femme ou un homme ; que ce dernier n'a pas de
privilège en la matière ; qu'il n'y a pas de « vertu virile ».

Ainsi la même histoire d'une veuve héroïque sert de
support au conte grivois du modèle italien et devient pour
Christine une figure sublime, assumant le rôle en d'autres
temps dévolu à la reine, celui qu'avait incarné une
Blanche de Castille.

Et c'est un peu de la même façon qu'elle dispense ses
conseils aux veuves d'après un autre modèle italien,
l'ouvrage de Francesco da Barberino intitulé *Del reggi-
mento e Costumi di Donna* ; l'ouvrage de Christine, le *Livre
des trois vertus*, est en fait une sorte de traité d'éducation
de la femme. Et dans ce traité d'éducation, chose
curieuse, la vertu qui tient le premier rôle s'appelle :
Prudence. Elle prévient toutes les veuves, aussi bien les
nobles que les bourgeoises, que celles de « commun
état », que beaucoup de maux vont les attaquer ; entre
autres l'ignorance et la peur : « Et pour ce que vous avez
besoin d'être armées de bon sens contre ces pestilences et
toutes autres qui advenir vous peuvent, il nous plaît de
vous admonester de ce qui vous peut être valable. » Et de
passer en revue pour commencer les divers personnages
auxquels une princesse appelée à diriger un domaine peut
avoir affaire : les officiers et administrateurs, les baillis de
ses châtellenies, les dames et « damoiselles et bourgeoises
du pays » ; enfin les accouchées, les pauvres et les riches.
C'est une peinture de la société d'alors. La princesse « les
recevra joyeusement » chacun selon son droit, et saura
accueillir gentiment les « chosettes », petits présents de

noble dame ou femme du peuple qui viendront lui faire
hommage ; « et de peu de chose fera grand conte et
grande fête ». On se demande dans quelle mesure Christine ne songe pas ici à la reine Isabeau de Bavière dont
l'accueil froid et les maladresses ont tant fait pour lui
aliéner les esprits.

Selon les conseils de Prudence, la Dame veuve, si elle
est de haut rang, devra adopter une attitude réservée ; si
elle est de rang modeste, rien ne vaut pour elle le silence
de sa demeure ; ainsi dit-elle, « esquiverez-vous d'être
foulées par autrui (écrasées) ».

Mais Christine, qui a pour elle une dure expérience, va
plus loin que ces simples conseils de Prudence. La Dame
devra savoir se défendre ; qu'elle consulte les gens de loi,
« et pour résister à tous les autres ennuis... qu'elle prenne
cœur d'homme, c'est-à-dire constant, fort et sage, pour
aviser et pour poursuivre ce qui lui est bon à faire ». Avec
un sens pratique évident, elle blâme, dans son ouvrage
intitulé *Livre des trois vertus* le manque de prévoyance
dont elle-même a tant souffert : « Nulle l'épargne de la
pécune et avoir... je ne répute pas louable en l'état de
mariés, sous laquelle main doit être la cure de leur
ménage, souffreteux après eux — peut-être à cause de
leur prodigalité. »

D'ailleurs la femme doit être capable de remplacer le
mari ; elle doit donc connaître coutumes et usages, et
disposer elle-même son budget en cinq parties : d'abord
les aumônes, ensuite les dépenses de la maison, puis le
paiement des serviteurs ou officiers à gages ; enfin les
cadeaux, et, dernière tranche, qu'elle a d'ailleurs garde de

négliger, les joyaux et vêtements. La femme du laboureur aussi bien que celle du seigneur doit pouvoir ainsi répartir et user des ressources communes.

Au passage, Prudence a enseigné à la femme de haute condition ce que peut être son rôle, seule ou aux côtés de son époux. Un sage exercice de la parole lui sera très nécessaire ; les peuples se rebellent lorsqu'ils sont menés par « rudesse », au contraire « par douces paroles », on peut apaiser de grandes colères.

Vis-à-vis des enfants, « grande prudence est plus nécessaire que très grande « sapience » (savoir) ». Se garder surtout d'administrer au jeune « correction haineuse et en dépit ». Enfin, ne pas porter de jugement sans réplique : une grande indulgence est toujours nécessaire « ne doit-on nullement juger, tant voit-on le jeune foloyer ou dévoyer en quelque voie dissolue, que jamais bien ne fera et que doit être chassé, mais dire comme il est récité des paroles de Jésus-Christ : Père, pardonnez-leur, car ils ne savent ce qu'ils font ».

Christine a enfin un langage très réaliste et très ferme pour enseigner aux femmes comment elles se doivent défendre de ceux qui voudront leur nuire en exploitant leur faiblesse ou leur naïveté ; il arrive que la femme seule ait affaire à « très mauvaise ribaudaille, mangeurs de gens et pires que larrons » ; on sent que reviennent à son souvenir les silhouettes ricanantes d'avocats, de procureurs et autres officiers de cour qui jadis l'ont elle-même exploitée. Que faire alors ? En tout cas, pas « comme simple femme s'accroupir en pleurs et en larmes, sans autre défense, comme un pauvre chien qui s'accule en un

quignet (se blottit dans un coin); et tous les autres lui
courent sus »! Elle doit se défendre et faire front,
n'attendre de personne autre que d'elle-même la sauve-
garde.

Somme toute, c'est une leçon de courage qui se dégage
essentiellement des préceptes de Christine lorsqu'elle
s'adresse aux femmes; et aussi une incitation à s'ins-
truire, puisque l'ignorance, lorsqu'elles doivent se défendre seules, peut être cause de leur perte.

« Cent ballades ai ci écrites », constate Christine certain jour. Elle a réuni en un recueil ces cent ballades qui
ont commencé à lui assurer une renommée littéraire. Ses
procès ne sont pas terminés; ses tracas sont loin d'être
apaisés; mais sa santé en revanche s'est améliorée et une
ambition naît en elle, que justifie le succès de ses poésies
légères. Ce qui avait été jusqu'alors un dérivatif va
devenir une vraie carrière qui sera aussi son gagne-pain.
Elle sent d'instinct que le moment est venu pour elle Elle
garde présentes à sa mémoire, certes, « les ruminations
du latin et des parlures des belles sciences et diverses
sentences et polie rhétorique qu'elle avait entendues le
temps passé au vivant de ses amis trépassés, père et
mari ».

Elle n'en a que bien peu retenu à son goût; elle était
pourtant douée pour les études mais sa « foleur » (folâtre-
rie), sa trop grande jeunesse, ses occupations de femme
mariée « et aussi la charge de souvent porter enfant » ne

lui avaient guère laissé de loisir pour « hanter l'étude » ;
au contraire cette sorte de solitude qui se faisait autour
d'elle y était favorable ; étudier serait le meilleur contre-
effort à ses soucis, la plus saine rupture aussi avec son
douloureux passé : « tout ainsi comme un homme qui a
passé par périlleuses voies se retourne en arrière, regar-
dant le pas... ainsi, considérant le monde tout plein de
lacs périlleux et qu'il n'est qu'un seul bien qui est la voie
de vérité, je me tournai au chemin où ma propre nature
m'incline, c'est à savoir l'amour de l'étude », dit-elle en
son langage plein de saveur ; elle s'y livre avec un
enthousiasme qui lui vaut une nouvelle jeunesse :
« Adonc je clos mes portes et vous happai ces beaux livres
et volumes. »

Ces « beaux livres » qu'elle happe — manière de parler
quelque peu inexacte lorsqu'on sait le poids des in-folio
du temps ! — avec une ardeur joyeuse, nous pouvons sans
peine les imaginer aujourd'hui où des études très appro-
fondies ont été faites sur la bibliothèque du roi Charles V.
On sait qu'à la mort du roi, cette bibliothèque comportait
un millier de volumes sur lesquels une centaine a pu être
identifiée. Son bibliothécaire, ou plutôt « garde de la
librairie », Christine le connaît bien ; il se nomme Gilles
Malet ; il conservera son office jusqu'à sa mort en 1411.
Dans l'église de Soisy-sur-Seine se voit toujours sa pierre
tombale et celle de son épouse Nicole de Chambly. On
imagine Christine feuilletant ces « beaux livres », s'exta-
siant devant les chefs-d'œuvre nés, par exemple, du
mécénat de Jeanne d'Evreux, la veuve de Charles IV le
Bel — des grisailles d'une finesse miraculeuse — tournant

les pages du *Miroir historial* de Vincent de Beauvais,
découvrant avec intérêt telle Bible latine venue de
Bologne, la ville de son père, le *Ptolémée* ou le *Traité sur la
sphère* contenant les horoscopes de la famille royale —
peut-être dressés par Thomas de Pisan lui-même.

En femme avisée qui connaît ses limites et ses dispositions, elle « ne se prit pas comme présomptueuse aux
profondeurs des sciences obscures avec des termes que je
ne sus comprendre » ; mais elle se tourne vers l'histoire —
l'histoire qui est la vie, l'histoire, science du passé et du
présent ; elle se prend aussi « aux livres des poètes », « se
délectant en leur subtile couverture et belle matière
cachée sous fiction délectable ».

En même temps, son ambition s'étend ; elle sent qu'elle
peut écrire aussi, et mieux et plus qu'elle ne l'a fait
jusqu'à présent : « Je veux que de toi naissent nouveaux
volumes qui au temps à venir et perpétuellement présen-
teront au monde ta mémoire devant les princes... En joie
tu enfanteras de ta mémoire, nonobstant le labeur et
travail, tout ainsi comme la femme qui a enfanté, sitôt
qu'elle entend le cri de l'enfant, oublie son mal, tu
oublieras le travail et labeur en entendant la voix de tes
volumes. » Et de poursuivre : « donc je me pris à forger
choses jolies, au commencement plus légères ; et tout
ainsi comme l'ouvrier qui de plus en plus en son œuvre
devient habile comme plus il la fréquente, toujours
étudiant diverses matières, mon sens de plus en plus
s'imbibait de choses étranges (étrangères), amendant
(corrigeant) mon style en plus grande subtilité et plus

haute matière » ; il est difficile de mieux exprimer la naissance d'une vocation d'écrivain.

La carrière de Christine va être surprenante ; en six ans, elle-même le dit, de 1399 « que je commençai » jusqu'en 1405 « auquel encore je ne cesse », elle aura écrit quinze volumes, sans compter les « petits ditiés » qui font ensemble environ « soixante-dix cahiers de grand volume » ; le succès a aussitôt répondu à son effort et sa renommée a bien vite franchi les portes des châteaux et hôtels princiers.

En cette époque où l'on témoigne d'un tel goût pour le beau livre, forme et contenu, elle n'a aucun mal à faire accepter les siens, d'autant plus qu'elle prend soin de les faire orner de belles miniatures. On connaît le nom de l'une des « enlumineresses » qui travaillent pour elle, une certaine Anastasie. Le duc de Berry, dont on sait les goûts d'esthète, allait être l'un de ses meilleurs clients. Christine semble lui avoir offert successivement presque tous ses ouvrages et l'on a aussi mémoire de la contrepartie : deux cents écus versés par le prince en telle occasion pour le premier recueil et beaucoup d'autres gratifications versées par le duc Jean ou par sa fille, épouse de Jean 1er, duc de Bourbon. La reine elle-même, Isabeau, s'est vu offrir un manuscrit par Christine et se trouve représentée dans une miniature qui évoque ce don. Christine se plaît à nommer dans ses œuvres certains personnages comme le duc Louis d'Orléans, le sénéchal de Hainaut, Jean de Werchin, auquel elle dédie plusieurs poèmes, ou encore Charles d'Albret, connétable de France, à qui l'on sait qu'elle offrit son *Débat de deux amants*.

Et l'on ne s'étonne pas non plus de la voir correspondre avec les meilleurs poètes du temps, entre autres cet Eustache Morel, que nous nommons Eustache Deschamps :

De Senlis bailli très notable

Cette ballade écrite en rimes très savantes et sophistiquées Christine a voulu la signer. Et c'est l'occasion de remarquer que, si éprise qu'elle ait été de son mari Etienne Castel, elle n'en a pas adopté le nom, mais celui de son père, qui lui a communiqué ce à quoi elle tient le plus : son haut degré d'instruction. Ce n'est qu'au XVIIe siècle — on ne le sait pas assez — que la femme a dû obligatoirement prendre le nom de son époux. Jusqu'alors elle avait le choix entre le patronyme de son père, de sa mère, de son mari. Christine a fait le choix que lui dictait sa profonde admiration pour son père :

Christine de Pisan, ancelle (servante)
De Science, que cet an celle (cette)
Occupation tint vaillant,
Ta disciple et ta bienveillant.

CHAPITRE IV

AU PÉRIL DE LA MER

Si prions Dieu de très humble courage
Que au bon roi soit écu et défense
Contre tous maux, et de son grief malage
Lui doint santé, car j'ai ferme espérance
Que s'il avait de son mal allégeance
Notre bon roi qui est en maladie
Qu'encore serait, quoi qu'on dit ou en die,
Prince vaillant et de bonne ordonnance.

16 septembre 1393.

« *Il se fait ici un mouvement d'un genre que vous allez connaître. Il y a deux mois passés, commencèrent à se rassembler, en plusieurs pays du royaume de France, cent ou deux cents garçons, tous ou pour la plupart vierges. Ils lèvent une bannière où sont peints, d'un côté l'ange saint Michel, et de l'autre les armes de France, de Bretagne, ou de leur pays d'origine, sans avoir pris congé de père ni de mère, sans argent, sans pain ni vin. L'un d'eux porte cette bannière et tous les autres le suivent; ils se mettent en chemin et s'en vont au mont Saint-Michel, qui est aux confins de*

Bretagne, sur la mer, et où se trouve une église (dédiée) audit saint Michel. Ils offrent à cette église qui un peu et qui beaucoup, et puis ils s'en retournent.

Ce mouvement s'est propagé à cette région et ici, à Avignon, entre avant-hier, hier et aujourd'hui, on dit que deux cents enfants petits et grands sont partis pour aller là-bas avec les bannières dont je vous parle. Si vous voyiez courir ces enfants! Heureux qui peut s'enfuir et suivre le voyage! Je vous dis que c'est bien une chose incroyable pour celui qui ne l'a pas vue. Ils disent que de grands miracles se sont produits, que les pères et les mères qui n'ont pas voulu laisser aller leurs enfants les ont vus mourir; on raconte beaucoup d'autres grands miracles. Ils disent trouver en chemin suffisamment à manger et à boire et qu'il leur est fait assez d'aumônes par les gens des pays qu'ils traversent. En Bretagne, dans les terres du duc de Berry, partout ils ont fait publier qu'il leur soit donné de quoi vivre; par Dieu! voici de grands seigneurs! Dieu veuille qu'ils soient bons! Peut-être qu'à Prato vous ne le croirez pas; Baldello et son compagnon vous le diront pour l'avoir vu. On estime que de plusieurs pays, jusqu'à présent, des milliers d'enfants sont allés là-bas.

...

4 octobre 1393.

Je vous ai parlé d'un nouveau pèlerinage qui se faisait spontanément et volontairement au mont Saint-Michel, en Normandie, il tire son origine d'enfants vierges. Cela a été et est (encore) une chose incroyable. On dit que de cette ville, plus de mille personnes y sont allées, petits et grands, des

*femmes aussi, et ainsi à l'avenant dans tout le pays. Je crois
vraiment que cela a été la volonté de Dieu.*

*Celui qui n'a pas vu la soudaineté de ce mouvement ne
pourrait le croire ; et ces petits enfants de huit à quinze ans qui
s'échappent de père et de mère pour aller à ce pèlerinage ! Cela
s'est passé vraiment ainsi ! On dit que sur le chemin se trouve
une telle multitude de gens qui vont à ce pèlerinage que c'est
une chose impossible... »*

Les deux lettres émanent d'un correspondant de l'importante maison de commerce de Prato dont les archives
aujourd'hui bien connues des chercheurs constituent une
source inappréciable ; elles ont été réunies sur le vœu
exprès du négociant Francesco Datini, après sa mort, et
conservent toutes les lettres adressées par ceux qui
tenaient ses succursales dans les diverses cités d'Occident. Ici, c'est Nicolaio di Bonnacorso, son facteur
d'Avignon, qui rend compte de l'extraordinaire mouvement de pèlerinages qui, en 1393, se fait spontanément
vers le mont Saint-Michel, pour implorer la guérison du
roi Charles VI.

Les magasins d'Avignon étaient, pour les négociants
italiens, d'autant plus importants que l'un des papes
continuait à y faire sa résidence, ce qui entraînait tout le
trafic habituel à la cour pontificale, pour le plus grand
bénéfice des fournisseurs de velours, draps et tissus
divers, de vins et viandes, et d'armes éventuellement.
Ceux qui avaient le soin des succursales ne manquaient
pas de tenir leur « patron » informé des événements qui
se passaient, tous ayant plus ou moins leur répercussion

sur les approvisionnements à prévoir. Celui dont il est ici question, et qui tranche tout à fait sur les informations habituelles, a causé visiblement une vraie stupéfaction chez ces marchands. Les pèlerinages d'enfants laissent d'ailleurs une marque jusque sur les registres de compte de la chancellerie pontificale : « Au 18 septembre furent versés au seigneur Simon Triadet, chapelain aumônier, envoyé par le seigneur pape au mont Saint-Michel au péril de la mer, pour subvenir aux besoins des pauvres enfants et pèlerins qui de cette cité d'Avignon et des lieux circonvoisins se sont rendus au mont, cent écus d'or par les mains du collecteur de Tours. »

C'était en effet un mouvement d'une ampleur incroyable, qui rappelait celui des pastoureaux un siècle auparavant, quand on avait appris que le roi de France était prisonnier des Sarrasins. Dans le royaume entier l'émotion soulevait les foules, à voir le roi retomber de temps à autre dans ses accès de démence ; au début, on avait espéré qu'il ne s'agissait que d'une crise passagère. Mais, depuis le terrible accès du 4 août 1392, c'est la première rémission qui n'avait été que passagère. L'affreux épisode du bal des Ardents, le 28 janvier 1393, quand le roi et cinq compagnons, déguisés en « sauvages », tous enduits de poix et d'étoupe, avaient pris feu à une torche imprudemment approchée d'eux, n'était pas fait pour lui faire retrouver son équilibre ; Charles avait été sauvé grâce à la présence d'esprit de sa tante, la duchesse de Berry, qui l'avait enveloppé dans les plis de son manteau, étouffant les flammes ; mais il fut seul avec un autre de ces malheureux à en réchapper. Le second accès de folie n'était cependant survenu que quelques mois plus tard, en juin de la même année. Les médecins se succédaient auprès du royal malade, sans parler des astrologues, et bientôt des guérisseurs de tous ordres...

La reine Isabeau, atterrée, eut la pensée touchante de vouer à la Vierge la première fille née après la folie du roi, le 23 août 1392, qui fut nommée Marie. Vers qui se tourner, sinon vers Dieu ? Et dans ce même mouvement de prière étaient nés ces pèlerinages au mont Saint-Michel. Charles VI, ému, s'y rendit lui-même. Les échevins de la ville de Caen allaient à son passage lui offrir force cadeaux : « une petite aiguière d'or poinçonnée de divers ornements,... et est le fruitelet d'une rose d'or où a 6 perles, et dessous a un gros saphir assis à crampons ». Et de même, « une nef d'argent doré... avec une terrasse à un cerf volant (le cerf était l'emblème favori du roi, et sa lignée devait l'adopter) entre deux arbrisseaux ». Lisieux aussi se mettait en frais avec « un hanap d'or au couvercle poinçonné... et est l'émail par dedans d'un homme sauvage assis sur un lion, qui tient une lance en sa main ». Tous ces chefs-d'œuvre de l'orfèvrerie du temps, amoureusement décrits, témoignent en tout cas de l'affection réelle qu'on ne cessait de porter au souverain dans sa pitoyable position. Le roi par contre dégrèvera d'impôt les « vendeurs d'enseignes de monseigneur Saint-Michel, de coquilles et autre œuvre de plomb jeté en moule » — autrement dit, les marchands d'insignes et bimbeloteries diverses qui, alors comme aujourd'hui, alimentaient en « souvenirs » les foules des pèlerins ; ils l'avaient sollicité au passage, arguant qu'ils étaient obligés d'apporter leur

eau potable et tout leur ravitaillement au pied du beau
monastère dressé sur son îlot. Charles et Isabeau allaient
nommer Michèle leur fille née peu après — prénom tout à
fait inhabituel dans la maison de France.

Mais le temps passait, ramenant les mêmes alternances
de santé et de crises de démence. Après une rechute au
mois de juillet 1394, Charles se rendit au pèlerinage, cette
fois à Notre-Dame du Puy, au début de l'année suivante.
Là encore, il fut reçu avec empressement, au passage, par
les échevins des bonnes villes, qui multipliaient les
présents : à Aigueperse deux « bassins à laver d'argent
blanc » ; à Riom un gobelet d'or ; à Montferrand une
paire de flacons d'argent doré et « un haut drageoir
d'argent doré en façon de coquille ».

A l'image de la santé du roi, instables comme elle, des
espoirs naissaient et renaissaient périodiquement concernant la fin du schisme pontifical. Christine évoque dans
l'un de ses poèmes, au château de Fortune, tout en haut,
à la place de Saint-Pierre, un siège fait pour un seul
homme, où deux sont assis à l'étroit, mais aucun d'eux ne
veut abandonner :

> *... et ce schisme*
> *Des gens errer fait plus du dixme.*

C'est bien plus d'un dixième de la chrétienté, en effet,
qui se lasse d'un tel scandale et abandonne la foi. Ici
encore, les marchands italiens, doublement intéressés par
le conflit, sur la place d'Avignon comme à Rome même,
se tiennent minutieusement au courant des événements.

Charles VI, son frère, ses oncles, tentaient d'intervenir pour un désistement; il y eut à ce sujet des allées et venues, en 1395, en Avignon. Le 3 juin, le correspondant de Datini écrivait :

« *Par ma précédente lettre, je vous ai écrit suffisamment sur la venue de ces seigneurs de France ; ils ont tenu, depuis, de nombreux conseils avec le pape et séparément aussi avec les cardinaux, et en dernier lieu hier, c'est-à-dire le 2, ils voulurent avoir les cardinaux à Villeneuve. Ils les eurent et les retinrent jusqu'à deux heures de la nuit. Ce qu'ils ont fait, on ne le sait pas au juste, mais on dit qu'il y a dissentiment entre eux, parce qu'il paraît que ces seigneurs voudraient à tout prix que le pape leur promette de renoncer chaque fois qu'il en sera requis par le roi ou par eux, en lui promettant de ne jamais le faire sinon lorsqu'ils sauront que l'autre pape renonce également. Le pape, jusqu'à présent, n'a pas pu se résoudre à donner cette promesse, craignant un affront, à ce qu'on doit croire, et c'est ce qui lui arriverait si jamais l'autre ne voulait pas consentir ensuite à renoncer.*

Il y a ici des cardinaux qui veulent ce que veulent les seigneurs et d'autres qui ne le veulent pas. »

Et plus tard encore, en septembre et octobre de la même année, quand se succèdent des nouvelles contradictoires :

« *Notre Saint-Père ne voudra pas se laisser berner par les Français, et, comme il est bien conseillé, nous pensons que les choses iront lentement. On dit ici qu'étant donné que les autres cardinaux tiennent avec les ducs venus ici, le pape créera six cardinaux parmi ses amis et ceux de son pays afin d'avoir des gens qui le conseillent et soutiennent son opinion. Dieu lui mette dans le cœur de faire ce qui sera le meilleur. »*

...

19 septembre.

« Il y a ici pénurie d'argent à changer pour toute direction et ce pays est plutôt exposé à la guerre qu'à la paix, parce que les Français ne sont pas bien avec le pape à cause du voyage des trois ducs qui sont partis très mécontents de lui.

30 septembre.

« On croyait que l'église de Dieu arriverait à l'union plus tôt qu'elle ne fait. Dieu nous l'accorde, car le monde ne peut aller bien sans elle. Il y a ici, pour obtenir cette union, un grand abbé, ambassadeur du roi d'Angleterre, avec vingt-cinq chevaux. Ici on travaille peu, la terre est peu sûre et la mer encore moins. Les nôtres et nous-mêmes allons tous bien. »

...

9 octobre.

« Sur le fait du schisme, on dit beaucoup de nouvelles qui nous paraissent en grande partie mensongères. Il est parti d'ici, ces jours-ci, certaines personnes que le pape a envoyées à Fondi sur une galère de Jean Consalve. Le pape, dit-on, doit faire faire à Barcelone deux nefs et trois galères qui doivent le transporter à Fondi parce qu'il veut, paraît-il, s'aboucher avec celui de Rome et agir de telle sorte que le monde soit content de lui et donner l'occasion de supprimer le schisme.

On dit aussi que le roi de France doit se rencontrer avec l'empereur, en Flandre, ou aux frontières de la France et de l'Allemagne et, après l'entrevue, se trouver à Lyon et envoyer chercher les cardinaux d'Avignon ; on ne dit pas encore quand cela se fera. »

Et telle autre lettre, celle-là adressée au gérant de la maison de Barcelone, précise les détails donnés d'Avignon :

« On raconte que la galère de Jean Consalve était partie de là-bas pour aller à Naples et qu'elle avait emmené les ambassadeurs du pape d'Avignon pour les déposer à Fondi ou à Naples afin qu'ils se rendent auprès du pape de Rome. On pense que la raison en est que le pape d'Avignon voudrait s'accorder avec celui de Rome parce qu'à Paris, le roi a, paraît-il, beaucoup insisté pour que cela se fasse. »

Semblables alternatives se poursuivront vingt ans encore. Et la chrétienté demeurera décapitée jusqu'en 1417, quand enfin on s'accordera à désigner comme pape Martin V, au concile de Constance. Non sans que les universitaires parisiens aient tenté plus d'une fois de soustraire la France à la communion au siège de Rome, et prévu la convocation de conciles périodiques : ce qui dans leur esprit revenait à supprimer l'importance de la personne, jusqu'alors essentielle à la vie chrétienne, et à soumettre l'Eglise à une administration collective de clercs et de docteurs.

**
*

En revanche, quelque chose s'améliore en cette année
1395, ce sont les relations entre la France et l'Angleterre :
détente inespérée et bienvenue ; s'en font encore l'écho
nos marchands italiens, témoins de premier ordre, parce
que bien placés et neutres, ne songeant aucunement,
comme les annalistes et chroniqueurs, à écrire pour
l'histoire, et qui reflètent au plus juste l'information de
leur temps. A la date du 30 avril 1396, on lit ainsi :

« Pas de nouvelles, de nulle part, sinon que l'affaire du
schisme nous paraît traîner en longueur. Le mariage (des
princes) de France et d'Angleterre est fait et la trêve
conclue pour longtemps. Le roi de France a déchargé son
peuple de nombreux impôts, et s'il tient (sa promesse),
son pays s'en trouvera beaucoup mieux. Il a diminué la
gabelle du vin qui paiera le huitième denier au lieu du
quart ; il a diminué la gabelle du sel qui paie six gros par
quintal au lieu de neuf ; il a supprimé l'imposition foraine
sur la marchandise qui payait six deniers par livre et qui
ne paiera plus rien, de même d'autres petites choses qui
étaient une charge pour les pauvres gens. »

Deux nouvelles propres à réjouir le peuple, à lui
apporter à la fois l'apaisement intérieur et la paix
extérieure : la diminution des impôts, et le « mariage de
France et d'Angleterre » avec les liens qu'il noue entre les
deux royaumes.

Le roi Richard II d'Angleterre est immortalisé pour
l'historien d'art par le merveilleux diptyque de Wilton
House qui le représente agenouillé devant la Vierge et les

anges à l'âge de son couronnement, c'est-à-dire un peu
moins de dix ans, entouré et protégé par Jean-Baptiste et
par les deux saints rois d'Angleterre, saint Edmond et
saint Edouard le Confesseur. L'œuvre conservée à la
National Gallery de Londres reflète toute l'exquise
finesse du temps, à mi-chemin entre l'enluminure et la
peinture. L'allure hiératique des personnages est
compensée par la somptuosité des vêtements royaux et
celle des fonds d'or ; sur le manteau de Richard II, on
distingue la biche blanche qui se trouve aussi au verso de
l'œuvre, enserrant une bannière blanche à la croix rouge
qui serait peut-être une allusion à cet Ordre du Crucifix
que l'on exhortait le roi à fonder afin d'aller délivrer la
Terre Sainte, plutôt que d'entretenir des querelles déjà
bien vieilles avec les autres princes d'Occident. On
attribue parfois l'idée d'une trêve franco-anglaise à celui
qui était aussi l'initiateur du nouvel Ordre de chevalerie,
l'ancien chancelier Philippe de Mézières, qui avait été
autrefois le précepteur de Charles VI.

Toujours est-il que, parvenus vers la fin du siècle, les
adversaires de jadis, roi de France et roi d'Angleterre,
multipliaient les gestes d'apaisement. Le roi Richard II
venait de perdre son épouse Anne de Bohême, et
naturellement l'idée naissait d'un mariage qui pourrait les
rapprocher. On proposait Isabelle de France. Elle n'avait
encore que cinq ans, étant née le 9 novembre 1389, trois
ans donc avant la première crise de folie du roi. Les
fiançailles furent solennellement annoncées le 8 juillet
1395.

Les années qui suivent allaient voir un extraordinaire

va-et-vient de messagers entre la France et l'Angleterre.
Les échanges de cadeaux se faisaient avec ce goût du luxe
qui caractérise l'époque : la future petite reine d'Angleterre, à elle seule, n'allait-elle pas emporter deux couronnes et trois diadèmes, sans compter les chapels et
frontons enrichis de diamants, perles, émeraudes et
rubis ? Et ne parlons pas des échanges d'anneaux, de
hanaps, de colliers ou aiguières entre les rois et les
princes, anglais autant que français, qui les accompa-
gnaient.

Or Christine allait avoir une place inattendue dans ce
dialogue franco-anglais qui ouvrait les plus belles espé-
rances de paix. Peut-être faisait-elle partie de ces dames et
demoiselles d'honneur qui escortèrent la future petite
reine à l'entrevue d'Ardres, quand Isabelle fut présentée à
celui qui serait son époux, le 30 octobre 1396. Voire
même au mariage, qui allait avoir lieu quelques jours plus
tard dans l'église Saint-Nicolas de Calais. Ou plus
simplement fut-elle présentée à quelques dames et seigneurs anglais au cours des cérémonies qui précédèrent le
mariage. Toujours est-il que John Montague, comte de
Salisbury, lui fit une offre pleine de promesses : Pourquoi
n'enverrait-elle pas son fils aîné, Jean Castel, en Angleterre ? Le comte de Salisbury avait un fils, Thomas, âgé
lui aussi de douze à treize ans, avec lequel il serait élevé et
recevrait une éducation de chevalier ?

Offre séduisante que Christine se serait gardée de
refuser, son fils aussi d'ailleurs. Elle ouvrait de magnifi-
ques perspectives à celui que la mort de son père avait si
tôt privé de soutien. En écoutant les paroles de Salisbury,

Christine dut avoir le sentiment qu'elle tenait décidément à plein le rôle qu'eût tenu son époux — car c'est son œuvre, le renom de sa poésie qui l'avaient fait remarquer par le grand seigneur anglais. Le fait est que, par la suite, ses poèmes allaient être très tôt traduits en anglais : *l'Epitre au dieu d'Amour*, composée en 1399, avait dès 1402, trois ans plus tard, sa traduction anglaise par un auteur de renom, Thomas Occleve. Et voilà que son talent littéraire profitait non seulement à elle-même, mais à l'aîné de ses fils ! Celui-ci allait s'embarquer plein d'espoir ; il était, selon l'expression de sa mère, « assez habile et bien chantant ». On lui faisait toutes sortes de promesses pour le temps à venir ; cela valait bien la dureté d'une séparation que Christine allait évoquer en termes voilés :

> *Si j'ai le cœur dolent, je n'en puis mais,*
> *Car mon ami s'en va-t-en Angleterre.*

Nul n'aurait pu alors prévoir ce qui devait arriver et que résume de façon cette fois lapidaire, dans une de ses lettres, le correspondant avignonnais de Datini de Prato, le 28 novembre 1399 : « Le roi d'Angleterre, qui a pour femme la fille du roi de France, comme vous le savez, a été déposé et mis en prison. On a élu comme nouveau roi le duc de Lancastre ; aussi croit-on qu'il y aura la guerre entre eux et les Français. »

La nouvelle fait l'effet d'un coup de tonnerre. En effet, le 30 septembre précédent, le roi Richard II d'Angleterre avait cessé de régner. Une rébellion fomentée par Henry

de Lancastre avait éclatée. Vaincu à Conway, Salisbury
avait été fait prisonnier après quelque temps d'indécision
pendant lequel le roi s'était abrité dans ses châteaux de
Beaumaris et de Flint. Le maître de l'heure, c'est son
cousin le duc de Lancastre. Proclamé d'abord « gardien
du royaume », et bientôt s'installant à sa place. L'Angleterre était le théâtre de troubles et agitations tant religieux
que politiques qu'il avait su savamment entretenir pendant une absence du roi qui était allé combattre en
Irlande. En quelques jours le Lancastre prenait possession de Westminster ; Richard II, prisonnier à la tour de
Londres, avait dû lui-même lire son acte d'abdication,
confiant ensuite « son droit à Dieu » ; marchands et
banquiers de la Cité avaient adopté le parti d'Henri de
Lancastre. Le 30 septembre, le Parlement, sur lequel il
lui fallut faire pression, était informé de l'abdication du
roi Richard II.

Il y eut pourtant une réaction. Salisbury et quelques
autres, réunis à Windsor, tentent un coup de main qui
échoue, probablement par suite d'une trahison. Celui
qui, couronné le 13 octobre 1399, se fait désormais
appeler Henri IV, en est informé, gagne Londres en hâte
au cours de la nuit, lève une milice et se lance à la
poursuite des conspirateurs. Retranchés à Cirencester, ils
sont massacrés par la population, tandis que le roi
légitime, transporté dans la forteresse de Pontefract, allait
y mourir de faim et de froid.

En France les nouvelles parvenaient l'une après l'autre,
semant l'inquiétude. Christine déplore la mort de celui
qui était, dit-elle, « gracieux chevalier, aimant dicter, lui-

même gracieux dicteur » (poète). Des bruits contradictoires couraient sur le sort du dernier des Plantagenêts ;
lorsque son corps fut exposé à Londres, en la cathédrale
Saint-Paul, le 17 février 1400, il fallut se rendre à
l'évidence : Richard II était bien mort. Il y eut d'ailleurs
quelque temps auprès du roi d'Ecosse un homme qui se
faisait appeler Richard Plantagenêt, mais, bien qu'il
affirmât être le roi Richard II évadé de sa prison, il ne
peut guère s'agir que de l'une de ces survivances que l'on
a souvent, à travers l'Histoire, attribuées aux personnali-
tés victimes d'un sort tragique comme le sien.

Une nouvelle dynastie, celle des Lancastre, supplantait
donc sur le trône ce roi Richard II avec qui les trêves
négociées avaient fait espérer vingt-huit années d'une
paix désormais compromise. Henri IV était le fils de Jean
de Gand, lui-même frère puîné du Prince Noir ; il avait
déjà donné dans le passé des inquiétudes à la couronne
anglaise qu'il convoitait. Sa lignée allait donc réaliser ses
rêves d'usurpateur et tenir l'Angleterre bien en main, tant
par les Lancastre que par ses enfants naturels qu'on
nommait les Beaufort.

Des ambassadeurs français, dès le mois d'octobre 1399,
avaient été envoyés en Angleterre ; Charles VI protestait
contre les outrages faits à son gendre et réclamait sa fille
Isabelle, ainsi que la riche dot qui lui avait été remise. La
pauvre petite reine de dix ans suppliait qu'on vînt « l'ôter
de là où elle était ». Mais les négociations traînaient en
longueur, car Henri IV ne se souciait pas de rendre trop
tôt l'otage qu'il avait entre les mains. Il proposait même à
Isabelle d'épouser son fils, le futur Henri V. La cour de

France temporisait, craignant de le heurter de front ; Charles VI fit savoir qu'il ne voulait pas que la nouvelle union de sa fille fût contractée en Angleterre. Il fallait qu'elle puisse d'abord regagner la cour de France.

Et l'on imagine de son côté l'angoisse que vivait Christine : qu'étaient devenus, dans cette suite d'événements désastreux, les deux jeunes garçons, Thomas et surtout son fils Jean ? Elle avait été longtemps sans nouvelles et se consumait d'inquiétude, lorsqu'un jour, à sa stupéfaction, on lui annonça la venue de deux hérauts du roi d'Angleterre. L'un d'eux, Faucon, roi d'armes et messager officiel de Lancastre, la convoquait et l'informait que le roi Henri (« qui s'attribua sa couronne », précise-t-elle) appréciait fort ses poèmes à elle, Christine. Il avait donc « très joyeusement » pris son fils Jean avec lui et le « tenait en très bon état »...

Plus encore, le roi souhaitait que Christine « par delà allasse ». Autrement dit, il l'invitait à venir s'installer, elle aussi, en Angleterre, où ses dons de poète seraient appréciés. Il lui promettait « du bien largement », si elle consentait ainsi à devenir l'ornement de sa cour.

Rassurée dans son amour maternel, Christine n'était pas moins indignée de la conduite du Lancastre, cet usurpateur dont la cruauté se dissimulait sous de belles manières et qui lui faisait ces offres flatteuses ; elle sut pourtant dissimuler et eut la même réaction que le roi Charles VI : que son fils avant tout revienne en France. « Comme de ce je ne fusse en rien tentée, considérant les choses comme elles étaient, je dissimulai tant que je pusse avoir mon fils, et que j'étais bien à son commandement. »

Ce qu'elle demandait, c'était que le roi donnât « congé » à l'enfant pour revenir la voir ; elle n'hésita pas à faire cadeau de ses plus beaux manuscrits à l'intention du roi, afin de bien le disposer à ce retour présenté comme provisoire et qui serait sans doute suivi de leur voyage en Angleterre, comme Henri IV les y invitait...

Comment croire celui qui venait de se conduire de façon si déloyale envers son suzerain ? Et qui retenait encore la pauvre petite princesse de France malgré ses supplications.

Isabelle fut rendue à son père le 1er juillet 1401, après avoir signé sous la menace un acte par lequel elle reconnaissait Henri IV comme légitime successeur de son défunt époux.

Jean Castel était, à une date imprécise, rendu à sa mère. « Or fus joyeuse de voir celui que j'aimais, comme mort me l'eût seul fils laissé, et trois ans sans lui eus été. » Elle avait donc entre-temps perdu son second fils et se trouvait désormais seule ; sa fille « en fleur de jeunesse et très grande beauté » était « portée tant notablement en vie contemplative et grande dévotion » qu'elle avait manifesté le désir d'entrer dans les ordres et se trouvait alors novice au couvent des dominicaines de Saint-Louis de Poissy.

Il n'était pas plus question pour Jean Castel que pour Isabelle de France de revenir jamais en Angleterre. Et pourtant Christine voyait effectivement combien ses poèmes étaient là-bas appréciés. Elle eût sans doute obtenu à la Cour anglaise la place que lui promettait Henri IV, trop heureux de se ménager des alliances dans

cette France qu'il convoitait. Mais peu lui importait : son
principal souci à présent était d'assurer à ce fils le train de
vie — « un état », comme on disait alors — correspondant à celui dont il avait joui dans l'entourage du comte
de Salisbury. Il fallait à ce garçon un protecteur qui pût
l'établir convenablement :

> *Très noble, haut, puissant, plein de sagesse*
> *D'Orléans duc, Louis très redoutable,*
> *Mon redouté seigneur, en grand humblesse, (humilité)*
> *Me recommande à vous, prince notable...*

En fait, elle lui recommandait non sa personne, mais
un « mien fils » rempli du désir « de vous servir s'il vous
est acceptable ». Et de lui rappeler dans cette ballade (n°
22 des *Autres ballades*) ses mésaventures :

> *J'à trois ans a que pour ses grands prouesses*
> *L'en emmena le comte très louable*
> *De Salisbury, qui mourut à détresse*
> *Au mal pays d'Angleterre, où muables (changeants)*
> *Y sont les gens...*
> *Si le veuillez, noble duc, recevoir.*

C'était donc vers le duc d'Orléans que Christine se
tournait, lui demandant protection pour son fils. Ne
fallait-il pas, avant tout, éviter que le garçon ne se laissât
séduire par de nouvelles offres du roi Henri IV, rebuté
par la petite vie que sa mère pouvait lui assurer. Jean
Castel était « bel et gracieux et bien morigéné » ; sa mère
pouvait attester que « du temps qu'il avait étudié en ses

premières sciences en grammaire », il eût été difficile de trouver « plus apte et plus subtil » que lui : autrement dit, un écolier bien doué, elle s'en portait garante.

Mais Christine allait être déçue : ils étaient si nombreux, ceux qui sollicitaient la grâce du duc d'Orléans ! Combien de jeunes, nobles ou non, combien d'écuyers ou de rimailleurs sollicitaient ses largesses ! Lui-même paraissait beaucoup moins empressé que le roi d'Angleterre de faire honneur au talent de Christine, bien que celui-ci fût de plus en plus reconnu alors.

Un espoir cependant se dessine pour elle, et surtout pour son fils : « Le premier duc de Milan en Lombardie... désirant m'attirer dans son pays très grandement », avait ordonné « d'assurer par rente perpétuelle son état » si elle voulait y aller. Il s'agissait cette fois de Jean Galéas Visconti qui lui dépêchait quelque gentilhomme milanais pour lui faire cette offre inespérée. Jean Galéas — le père de Valentine devenue duchesse d'Orléans — est à l'apogée de sa puissance et l'on murmure qu'avec l'appui de l'empereur d'Allemagne, il pourrait bien se faire donner le titre de roi d'Italie ; il s'agit d'un fin lettré qui a réorganisé l'université de Plaisance en lui réunissant celle de Pavie, et y a ouvert une superbe bibliothèque ; on ne compte plus les monuments auxquels il a participé, entre autres la fameuse cathédrale de Milan, la chartreuse de Pavie ou, dans cette même ville, le pont jeté sur le Tessin.

Personnalité prodigieusement attirante donc. Christine va-t-elle, grâce à lui, renouer avec ce pays d'origine qu'elle a quitté à l'âge de quatre ans et où son fils pourrait faire carrière ? Certes, ce n'est pas d'un cœur léger qu'elle

quittera la France où sa renommée est désormais bien
établie, mais n'est-ce pas cette même renommée et les
mérites de ses poèmes qui lui attirent aussi la faveur d'un
duc lettré ? Et Christine se prépare au voyage d'Italie
quand brutalement la nouvelle lui parvient : Jean Galéas
Visconti est mort assassiné.

Christine et son fils Jean demeureront en France, à
Paris ; Jean Castel finalement obtiendra, comme jadis son
père, une charge de notaire et secrétaire du roi. On
retrouve sa signature sur quelques actes de Charles VI,
par exemple dans sa correspondance avec Ferdinand Ier,
roi d'Aragon, vers les années 1412-1416. Quant à Thomas
Montague, comte de Salisbury, il se verra rendre les biens
paternels, et l'on entendra parler de lui par la suite...

La poétesse, en cette année 1402, va se faire l'écho des
luttes qui reprennent sous des formes larvées entre la
France et l'Angleterre. Faut-il appeler tournoi ou défi
guerrier le combat fameux qui est livré à Montendre près
de Bordeaux entre sept chevaliers français et sept chevaliers anglais ? Les sept Français appartiennent tous à la
maison orléanaise ; leur chef est Arnaud-Guilhem, sire de
Barbazan. Christine, pleine d'enthousiasme, composera
successivement trois ballades sur ce combat :

> *En grand honneur au royaume de France...*
> *Sera parlé de leur haute vaillance.*

Barbazan, celui qu'on nomme « le chevalier sans
reproche, cœur d'argent fin, fleur de chevalerie » ne
cessera de faire parler de lui par ses exploits jusqu'au

moment où lui-même meurt en plein combat, quelque trente ans après Montendre, tournoi fameux où les sept Français « ont déconfit les sept Anglais ».

De même s'empresse-t-elle de chanter les faits d'armes de Charles d'Albret nommé, en cette année 1402, conné-table de France et qui est le neveu de Charles V, fils de Marguerite de Bourbon qui était sœur de la reine.

Mais les brillants espoirs ouverts pour Christine comme pour son fils se trouvent une fois de plus anéantis. Il leur faudra l'un et l'autre continuer à vivre petitement, espérant jour après jour la faveur des princes de France. Du moins Christine aura-t-elle la satisfaction de penser qu'elle est restée fidèle à ce qui pour elle est la juste cause, sans tomber dans la tentation d'une fortune facile : celle qui eût consisté à devenir au-delà de la mer le poète officiel d'un usurpateur déloyal, meurtrier de son roi — et de surcroît hostile à son pays.

CHAPITRE V

LA ROSE
ET LES DOCTEURS DE LA LOI

> « Malheur à vous, docteurs de la
> loi ; vous avez dérobé la clef de la
> science ; vous n'êtes pas entré vous-
> même, et vous avez empêché ceux
> qui entraient. »
>
> (*Luc*, 11,52)

Au moment où se déroulaient ces événements : meurtre du roi d'Angleterre et du comte de Salisbury, incertitude quant au sort de la reine Isabelle, et, pour Christine, de Jean Castel son fils, une diversion qui venait à point pour l'arracher à ses angoisses personnelles s'imposait à la poétesse. Il s'agissait d'ailleurs d'une polémique. Polémique littéraire, mais qui rapidement allait dépasser le simple cadre des milieux et des préoccupations littéraires, et qui devait prendre à travers les temps une valeur dont Christine elle-même et ses contemporains ne pouvaient se douter. En fait, avec le recul de l'histoire, on y reconnaît la première en date des querelles antiféministes.

Parmi tous les livres qu'elle a « happés » — sans doute dans les bibliothèques princières, voire royales, ou encore celles des couvents qui s'ouvraient volontiers aux chercheurs — il s'en trouve un que Christine n'aime pas, dont le ton, la portée, la leçon en général — ce qu'on appelle alors *la sentence* —, lui sont profondément désagréables ; il s'agit d'un ouvrage extrêmement connu et répandu, puisqu'il n'est autre que le très fameux *Roman de la Rose*, le livre à la mode s'il en fut en cette fin du xive siècle, une véritable bible pour les universitaires. On en conserve plus de deux cent cinquante manuscrits, ce qui atteste l'extraordinaire diffusion de l'ouvrage ; c'est le type même de l'œuvre à succès, le best-seller du temps.

Comme on le sait ce *Roman de la Rose* comporte deux parties : la première — quelque quatre mille vers — a été composée vers 1245, et c'est l'œuvre courtoise par excellence ; elle rassemble les données de cette lyrique amoureuse qui a animé et dominé les lettres et la poésie en général pendant trois siècles et davantage, s'exprimant successivement en latin, en langue d'oc où elle a trouvé probablement ses meilleurs interprètes avec un Guillaume d'Aquitaine, un Jaufre Rudel, ou un Peire Vidal, et en langue d'oïl. Guillaume de Lorris, l'auteur de cette première partie du roman, s'est orienté vers une poésie

allégorique et quelque peu précieuse dans laquelle le
poète, au cours d'un songe, a repris le thème de la quête
et pénétré dans un jardin où s'épanouit une rose qui
devient l'objet de son désir ; pour approcher la rose, il
devra vaincre, conduit par Bel Accueil, un certain
nombre d'ennemis comme Danger, Jalousie, Malebouche
— tous sentiments personnifiés — et c'est au moment où,
aidé toujours par Bel Accueil, il fait le siège du château de
Jalousie, que brusquement l'amant se tait ; le poème
demeure inachevé.

Or, une cinquantaine d'années plus tard, vers la fin du
XIIIe siècle, un universitaire parisien nommé Jean de
Meung avait eu l'étrange idée de donner une fin au délicat
poème de la Rose : étrange, car il semble bien avoir été
l'homme le plus éloigné qui fût des élégances courtoises.
La suite qu'il compose, longue et verbeuse — plus de dix-
huit mille vers — ne met plus en scène que des
abstractions comme Raison, Nature ou ce personnage
masculin qu'il appelle Genius, l'intellect de l'intellectuel,
et qui discourt sur un ton magistral, professant sur
l'homme et son comportement les doctrines désormais
développées dans l'université parisienne à grand renfort
d'analyses et de déductions. La quête amoureuse a
totalement disparu ; en revanche, avec un cynisme surprenant, le mépris de la femme est ouvertement professé,
l'amour n'étant que l'assouvissement des instincts, nommément des instincts du mâle ; ce parcours de l'intellect à
l'instinct professé par Raison sous la forme la plus
doctorale qui soit, ne laissant aucune place ni à la
sensibilité ni à l'imagination, marque dans les lettres

l'avènement d'une mentalité nouvelle, celle du professeur
qui disserte, de l'universitaire que ses diplômes mettent à
l'abri de tout soupçon et qui promène superbement son
mépris sur le reste de l'humanité, conscient qu'il est de
détenir le monopole de l'autorité scientifique comme du
raisonnement logique et de la maîtrise sexuelle.

L'université a d'ailleurs largement manifesté sa tendance au monopole. Au début du xIVe siècle, plusieurs
femmes exerçant la médecine comme elles l'avaient fait
jusqu'alors ont été poursuivies parce que ne possédant
pas le diplôme de médecin de l'université de Paris. Et
pour cause : les femmes en effet n'ont pas accès aux cours
universitaires. Elles seront donc désormais exclues du
monde médical. Au cours de ce xIVe siècle, le savoir
devient un domaine réservé, et réservé aux hommes, aux
clercs dûment diplômés par l'une ou l'autre des facultés.

C'est à la même époque que l'université de Paris a
commencé à jouer un rôle politique, ce qui n'a pas été
sans accroître son orgueil ; dès le temps de Philippe le Bel
on pouvait prévoir l'évolution, à constater la faveur que
ce roi, le premier, manifestait aux professeurs de droit,
ses conseillers. L'Université s'est ensuite prononcée en
toute autorité au cœur même du royaume lorsqu'elle a été
consultée dans les affaires de successions royales ; ce sont
les maîtres parisiens qui ont opportunément fait référence
à une certaine « loi salique » à laquelle jamais personne
n'avait pensé auparavant : loi des Francs Saliens, elle
était pratiquement tombée en désuétude depuis le vIIe
siècle ! Cette « loi » excluait les filles de la succession au
trône. En l'exhumant, les universitaires ont à point

nommé fourni aux Valois, dans la querelle dynastique qui les opposait aux Plantagenêts, l'argument juridique qui leur faisait défaut.

Autre circonstance qui est venue renforcer le prestige de l'université parisienne : la présence des papes en Avignon depuis le début du xive siècle — tous français, tous plus ou moins formés par l'Université, ou influencés par elle. Et les maîtres parisiens n'avaient pas attendu ce regain d'autorité pour se considérer comme désignés d'avance pour trancher les affaires de l'Eglise : dans le *Roman de la Rose*, Jean de Meung proclamait expressément que l'Université détenait « la clef de la chrétienté ».

Aussi bien, lorsqu'un Honoré Bouvet, nommé membre d'une commission qui doit réprimer les exactions fiscales, veut faire entendre sa voix, se réclame-t-il du patronage de Jean de Meung. C'est en 1398 qu'il publie son poème, l'*Apparition Maître Jean de Meung* : le docte maître lui est apparu en songe, réclamant justice contre les abus dont la France est accablée. Sortant de sa bouche, les protestations seront mieux entendues.

Et c'est à un tel personnage, unanimement encensé, incarnant à lui seul l'autorité du corps universitaire, que Christine ose s'attaquer !

Elle avait composé, l'année 1399, un poème qui avait attiré l'attention : une *Epître au dieu d'Amour* — c'est-à-dire, pour comprendre correctement le langage d'alors, une épître écrite *par* le dieu d'Amour, qui s'adresse en quelque huit cents vers aux « loyaux amants de France », à l'occasion des fêtes du 1er mai :

Donnée en l'air, en notre grand palais,
Le jour de mai — la solennelle fête
Où les amants nous font maintes requêtes,
L'an de grâce mille trois cent quatre-vingt
Et dix et neuf, présent dieu et divins (le dieu est celui d'Amour).

Dans cette *Epître*, Christine présente les revendications des femmes comme dans sa ballade en faveur des veuves. Parodiant le style des cours de justice qu'elle n'a que trop fréquentées, elle expose leurs plaintes :

Savoir faisons en généralité
Qu'à notre Cour sont venues complaintes
Par devant nous, et moult piteuses plaintes,
De par toutes Dames et Damoiselles
Gentilles femmes, bourgeoises et pucelles,
Et toutes femmes généralement,
Notre secours requérant humblement.
Si se plaignent les dessusdites Dames
Des grands extorts, des blâmes, des diffames,
Des trahisons, des outrages très griefs (graves),
Des faussetés et maints autres griefs
Que, chacun jour, des déloyaux reçoivent
Qui les blâment, diffament et déçoivent.

Elles voient en effet se multiplier les « faux amants », — ceux qui trompent, feignent d'aimer, pleurent et soupirent :

Sont maintes fois les Dames déçües,
Car simples sont, n'y pensent si bien non.

Et que font-ils ensuite ? Ils vont partout se vanter de leurs esprits amoureux ; on les rencontre en cours ou en tavernes,

> *Là rigolent l'un l'autre, et par reproches*
> *S'entredisent : Je sais bien de tes faits !*

L'honneur des Dames, autrefois trésor secret de l'amant, est aujourd'hui foulé aux pieds. Qui se soucie de prendre en exemple un Hutin de Vermeille qui

> *Souverainement porta honneur aux femmes*

(il s'agissait d'un chambellan de Charles VI, mort en 1390, la même année que l'époux de Christine).

Après les chevaliers, les Dames mettent en cause les clercs, ceux qui étudient aux écoles :

> *Ditiés en font, rimes, proses et vers*
> *En diffamant leurs mœurs par mots divers.*

Redoutables, ces clercs, car ils enseignent leur mépris

> *A leurs nouveaux et jeunes écoliers*
> *En manière d'exemple et de doctrine.*

Ils accusent les femmes d'être « mensongères »

> *Variables, inconstantes et légères.*

Le dieu d'Amour insiste sur ces clercs coupables de diffamation envers les femmes, et qui déploient contre elles toutes les ressources de leurs argumentations. Témoin Jean de Meung dans le *Roman de la Rose*.

> *Quel long procès ! Quelle difficile chose !*
> *Et sciences claires et obscures*
> *Y met-il là, et grandes aventures...*
> *Pour décevoir sans plus une pucelle !*

Quels subterfuges n'enseignent-ils pas pour mieux tromper « femme noble ou vilaine » en s'appuyant sur l'autorité de ses livres :

> *Mais si les femmes eussent les livres faits,*
> *Je sais de vrai qu'autrement fût du fait !*

Et d'invoquer contre eux l'exemple de Médée, Didon, Pénélope et tant d'autres.

A mesure que le poème s'avance, les accents de Christine se font plus vigoureux. Qui donc sème les guerres ? Qui donc livre bataille, et tue et blesse et pille ?

> *Car nature de femme est débonnaire...*
> *Et guerre craint, simple et religieuse (qu'elle soit laïque ou religieuse).*

Chacun sait comment elles s'emploient à apaiser les conflits, à faire cesser les querelles, à réconcilier, qu'elles soient « mère ou sœur ou amie ».

Je conclus que tous hommes raisonnables
Doivent femmes priser, chérir, aimer...
Elles de qui tout homme est descendu.

Autrement dit, Christine, bien placée pour observer la société d'alors, reproche aux nobles, aux grands de ce monde qu'elle n'a cessé de fréquenter, de manquer à leurs devoirs. On mesure à quel point ces reproches sont justifiés et portent loin en ce tournant du siècle, dans un royaume décapité puisque son seigneur naturel a perdu la raison et ne la retrouve que par intermittence. Elle a le sentiment que l'entourage n'agit pas comme il le devrait, ne prend pas la défense des faibles, et cesse donc de pratiquer ces vertus chevaleresques qui ont fait entre toutes autres le renom de la France, pays de saint Louis. Elle ne sait pas que les années qui viennent vont vérifier ce jugement, mais l'on peut déjà admirer sa clairvoyance toute féminine qui lui fait porter le débat précisément où il doit se jouer : la perte des valeurs courtoises, c'est l'effacement du rôle de la femme ; c'est donc la montée progressive, et sans équilibre possible, de la force : la force physique que ne tempérera aucun élément de tendresse, de douceur, de priorité donnée à la transmission de la vie, au respect des faibles ; car c'était tout cela que représentait le culte de la femme sous l'expression poétique qui lui avait été donnée dès le xie siècle. Une mutation s'opère dans la société et c'est celle qui voit la montée des seules valeurs guerrières, le pouvoir donné au combattant et bientôt au soudard.

Cette mutation, elle est sans doute déjà opérée dans les faits, mais bien peu en sont conscients ; Christine, elle, parce qu'elle est *la* veuve, parce qu'elle a dû batailler âprement, et assurer seule, jour après jour, la vie de son foyer et de ses enfants, a mesuré qu'un changement s'était produit dans les mœurs, que désormais, entre homme et femme, n'existeront plus que des rapports de force — ceux dans lesquels la femme est inévitablement victime, inévitablement vaincue. L'expérience inscrite en elle, Christine tente de la clamer à ses contemporains pour qu'ils en prennent conscience, qu'ils sachent que la chevalerie n'est plus la chevalerie dès le moment où le chevalier a cessé de faire le service du faible ; qu'elle n'est plus que prétexte à parades, tournois et chevauchées guerrières dont on s'aperçoit après coup, avec quelque stupeur, qu'elles ne ressemblent plus du tout aux tournois de jadis.

En fait, à la chevalerie ont succédé les ordres de chevalerie dont se satisfait la vanité masculine : porter de splendides manteaux de cour, se réunir entre gens de même ordre qui n'aspirent plus qu'à former une caste, en prendre prétexte pour revendiquer de nouveaux honneurs, voire de nouvelles prébendes, voilà à quoi s'emploie la noblesse. Elle devient, sans en avoir conscience, sa propre caricature ; elle oublie sa fonction, sa raison d'être, elle se vide en quelque sorte d'elle-même, comme elle s'est déjà ridiculisée sur les champs de bataille.

Il est extraordinaire de voir ainsi une femme mettre le doigt sur la plaie, celle dont la France souffre et va souffrir davantage encore. Mais le mal est plus profond et

s'étend à un autre niveau que celui que dénonce d'abord
le dieu d'Amour ; il n'est pas seulement le fait de la
noblesse ; Christine est conduite à le détecter en une autre
sphère, celle des intellectuels. Car le dieu d'Amour
s'attaque au *Roman de la Rose* — du moins à sa deuxième
partie, antiphrase de la première : il stigmatise Jean de
Meung qui a « compilé » une sorte de « long procès »
contre les femmes et enseigné aux séducteurs en puissance les moyens de venir à bout d'une « pucelle par
fraude et par cautelle » (ruse). Jean de Meung, l'anticour-
tois par excellence, le misogyne convaincu qui aligne
contre les femmes un arsenal d'arguments dont personne
n'a encore entrevu à quel point ils seront plus redoutables
que les vantardises des chevaliers « déloyaux ».

A travers une suite copieuse d'enseignements qui vont
des origines de l'homme, avec les mythes de l'âge d'or et
la description des phénomènes naturels, jusqu'à l'histoire
de Pygmalion en passant par Caton, Théophraste ou le
Timée de Platon, le docte ouvrage est en réalité un
réquisitoire contre les femmes dont il dénonce sans fin les
ruses, les coquetteries et comment elles ruinent ceux qui
s'y laissent prendre. Leur beauté ? C'est celle de leur
accoutrement. Leur vie ? Intrigues, trahisons, jalousies,
« subtilités et malices ». « Femme n'a point de
conscience. » Du reste il suffit à l'homme d'en faire son
plaisir. Quelques recettes pour cela : User de flatteries,
lui faire croire « qu'elle est plus belle que fée » ! De toute
façon celle qu'on croit avoir conquise vous aura bientôt
proprement ruiné. Enfin c'est folie de croire à l'amour. Il
faut écouter Nature qui les a faites « toutes pour tous et

tous pour toutes » ; il suffit de regarder s'ébattre aux prés
« vaches et taureaux, brebis et moutons ».

Et Genius invoque « l'autorité de Nature » — une
invocation qui fera long feu (Nature, que d'erreurs on
aura commises en ton nom !) — pour démontrer que
l'amour n'existe pas. Les docteurs en sexologie du xx\ :superscript:
siècle et, en général, ceux qui espèrent, à force de
raisonnements, réduire l'amour humain à la sexualité,
n'ont pas intérêt à lire les déclamations de Genius — la
plus abstraite des abstractions sorties d'une cervelle
d'universitaire — ils découvriraient qu'ils n'ont rien
inventé. Seule existe la sexualité, seul compte l'assouvissement des instincts du mâle. La femme-repos-du-guer-
rier est une formule du xixe siècle, mais dès la fin du
xiiie Jean de Meung avait conçu la femme-distraction-
de-l'intellectuel.

Christine n'a aucun mal à discerner, à travers le docte
langage et les savantissimes démonstrations du Maître, la
voie sur laquelle s'engagent alors une bonne partie des
universitaires parisiens, gorgés de syllogismes et de
logique rationnelle, moyennant quoi, assurés qu'ils sont
de leur propre infaillibilité, ils érigent en Vérité suprême
l'argument, la déduction, tout le produit indigeste de leur
cérébralité individuelle : ce qu'ils ont une fois énoncé
dans l'abstrait est inattaquable. L'univers se résout pour
eux à une série de définitions, principes et théories à
laquelle seuls ils ont accès puisqu'ils détiennent la clef du
langage abstrait, qui prime. Curieusement ce maniement
de l'abstraction rejoint une matérialité souvent assez
basse : dans les désordres qui vont suivre, aucun corps ne

réclamera ses prébendes et rémunérations aussi violem-
ment, aussi obstinément que l'Université ; aucun du reste
ne sera plus facile à acheter. Et cela, le conquérant le
comprendra très vite ; de solides allocations pourront
réduire instantanément la plupart des universitaires à une
silencieuse obéissance. L'abstrait appelle ce qui n'est que
matériel et instinctif. Alors que l'Esprit s'incarne dans le
concret de la vie.

Jamais on n'avait pris comme l'avait fait Jean de
Meung le contre-pied systématique de la tradition courtoise ; même pas dans ces autres expressions d'un antifé-
minisme bourgeois qui depuis le même temps —
l'extrême fin du xiiie siècle — se fait jour dans quelques
ouvrages comme les *Lamentations de Mathieu*, le *Blâme
des Dames*, le *Dit de l'épervier* ou autres. Christine détecte
sans peine ce mépris pour la femme que dégage la
doctrine de Genius au nom de Nature (toujours Nature !).
La femme sait s'appuyer sur l'expérience ; elle a le sens
du concret, si facilement occulté par la logique rationnelle
sous couleur de scientisme ou d'idéologie. Et de plus,
elle, elle est poète. Le prêche laborieux du Maître, à la
fois docte et paillard, ne l'impressionne pas. Et elle ne
manque pas de souligner la grossièreté avec laquelle, sous
couleur de précision, il s'exprime. La courtoisie suscitait
l'élégance du langage. Avec un Jean de Meung on s'en
trouve loin !

Le poème de Christine fait dresser l'oreille des universitaires parisiens. Celui qui pour la première fois a
proclamé haut et fort que l'université de Paris détient « la

clef de la chrétienté » est intouchable aux yeux de ses confrères et successeurs.

Un important personnage, Jean de Montreuil, prévôt de Lille, et secrétaire du roi, rédige donc au printemps de l'an 1401 un petit traité en français — d'ailleurs aujourd'hui perdu — qu'il envoie à un « notable clerc » — probablement maître Gontier Col, autre personnage attaché à la chancellerie royale — ainsi qu'à Christine de Pisan. A l'entendre, revenant d'une ambassade en Allemagne au mois de janvier 1401, Jean de Montreuil aurait lu le *Roman de la Rose* et composé ensuite un traité à la louange de son auteur Jean de Meung.

Et Christine aussitôt de prendre la plume à l'adresse du prévôt de Lille. Elle appuie, non sans quelque ironie, sur l'importance du personnage : « Très cher sire et Maître, sage en mœurs, aimant la science, fondé en clergie (savoir) et expert de rhétorique » ; et, non moins, exagérant quelque peu sa propre humilité : « femme ignorante d'entendement et de sentiment léger, que votre sagesse n'ait aucunement en mépris la petitesse de mes raisons, mais veuille suppléer par la considération de ma féminine faiblesse »... Elle aussi a lu le *Roman de la Rose ;* elle l'a compris « selon la légèreté de son petit esprit » et quelles que soient les qualités de forme qu'on peut attribuer à l'ouvrage (« par moult beaux termes et vers gracieux »), elle l'a trouvé extrêmement grossier ; elle a eu horreur des enseignements qu'il répand ; elle n'y a vu que « dissolution et vice », et s'indigne que « si excessivement, impétueusement et non véritablement, il accuse, blâme et diffame les femmes de plusieurs très grands vices et

prétende que leurs mœurs sont pleins de toutes perversi-
tés ». Ce qui lui semble au moins incompatible avec les
conseils qu'il donne pour en entreprendre la séduction :
« Puisque tant sont perverses, il ne devrait recommander
de les approcher aucunement : qui inconvénient redoute,
le doit esquiver ! » Que va-t-il prêchant de ne jamais
confier un secret à une femme ? Où a-t-il vu que des gens
aient été trahis morts, pendus par la faute de leurs
femmes ? De quel crime peut-on les accuser ? « Si elles te
demandent de l'argent de ta bourse, ce n'est pas elles qui
te l'enlèvent ou te le prennent : ne leur en donne pas, si tu
ne le veux ; et si tu dis que tu en es « assoté » pourquoi
t'en assotes-tu ? Serait-ce elles qui vont en ton hôtel te
quérir, prier ou prendre par force ? »

De même lorsqu'il parle des femmes mariées qui
trompent leur mari, n'aurait-il eu connaissance que de
celles-là ? Qu'il blâme « celles qui le font et conseille de
les fuir, ce ne serait que juste » ; mais non, « sans
exception, il les accuse ».

Si l'on parlait un peu de celles qui « ont mauvais
mari ». Ou encore des veuves que viennent assiéger
« débiteurs... et déloyaux menteurs ». Ou de celles dont
on profite, parce qu'elles sont jeunes et belles, et que
certains s'empressent de leur donner conseil mais,

> *de tels conseils*
> *à nulle croire ne conseille !*

Et Christine de citer, comme elle aime le faire, des
exemples vécus, ceux qu'elle tire de la Bible : Sarah,
Rebecca, Esther, Judith ; et ceux qu'elle tire de la vie elle-

même : « la sainte dévote reine Jeanne, la reine Blanche,
la duchesse d'Orléans fille du roi de France (Isabelle), la
duchesse d'Anjou qu'on nomme reine de Sicile
(Yolande) ». Semblable énumération atteste la clarté de
son jugement. Aux sottises que Genius répand sur les
femmes, elle oppose l'expérience. Et, comme elle s'est
quelque peu emportée en parlant de Jean de Meung, elle
l'exécute avec une verve passionnée : « Je dis que c'est
exhortation de vices confortant une vie dissolue, doctrine
pleine de mensonges, voie de damnation, diffamateur
public, cause de soupçons et de mécréantise » et termine
de façon péremptoire : « Qu'il ne me soit imputé comme
folie, arrogance ou présomption d'oser, moi, femme,
reprendre et contredire un auteur si subtil, quand lui,
seul homme, osa entreprendre de diffamer et blâmer sans
exception tout un sexe ! »

On se doute que maître Gontier Col n'allait pas laisser
pareille épître sans protester. Il envoie à Christine une
missive, courte et sévère, qui ne contient à vrai dire aucun
argument, aucune réfutation de ses reproches envers Jean
de Meung, mais lui intime, à elle, l'ordre de s'amender
« de l'erreur manifeste, folie ou démence qui t'est venue
par présomption ou autre, et comme à femme passionnée
en cette matière ». D'ailleurs, « ayant de toi compassion
par amour charitable, je te prie, conseille et requiers... de
corriger tes dires et amender ton erreur envers le très
excellent et irrépréhensible docteur en sainte divine
Ecriture, haut philosophe et clerc profond, que tu oses si
horriblement corriger et reprendre » ; et de même envers
« le prévôt de Lille et moi et les autres » ; qu'elle

« confesse son erreur », « alors nous aurons pitié de toi et te prendrons à merci en te donnant pénitence salutaire », termine-t-il en son style de clerc barbouillé de théologie.

Christine ne manque pas de répondre sur le même ton : « O clerc subtil d'entendement philosophique, stylé en science, prompt en jolie rhétorique et subtile poétique... tu m'as écrit des lettres... injurieuses me reprochant mon sexe féminin (que tu dis passionné comme par nature, ému de folie et présomption...) » ; elle le renvoie, avec son mépris et ses doctes arguments, à la « noble mémoire et continuelle expérience de très grandes multitudes de vaillantes femmes » et lui rappelle aussi que « une petite pointe de canif ou coutelet peut percer un grand sac plein et enflé de matérielles choses ».

Mais cet échange de correspondance ne restait ni inconnu ni ignoré ; en fait, Jean de Montreuil comme Gontier Col rameutaient autour d'eux les universitaires et, tout en affectant de dédaigner s'adresser à une femme, le prévôt de Lille ne manquait pas de dénoncer dans ses écrits « cette femme que l'on appelle Christine, qui livre désormais ses écrits au public ». L'épître qu'il rédige alors est chargée de tout le mépris qu'on peut imaginer chez un universitaire antiféministe : « Encore qu'elle ne manque pas tout à fait d'esprit — pour autant qu'une femme puisse en avoir — il me semblait, écrit-il, entendre la courtisane grecque Léontion qui, ainsi que nous le rappelle Cicéron, osa écrire contre le grand philosophe Théophraste. » Sans d'ailleurs jamais répondre sur le fond, il ne fait qu'invoquer l'autorité de « ce maître entre tous distingué, Jean de Meung ».

Une autre voix pourtant s'élevait aussi ; celle d'un universitaire, mais d'une autre trempe et d'une autre envergure que les Jean de Montreuil ou les Gontier Col : il s'agit de Jean Gerson. Le 25 août 1401, celui-ci faisait mieux que d'écrire une lettre ; il prononçait tout un sermon dans lequel il mettait en cause publiquement les propos de Jean de Meung et, au nom de la morale chrétienne, se montrait sévère pour ses partisans.

Cette fois Christine avait trouvé un appui.

Jean Charlier est contemporain de Christine — son aîné d'un an : il est né exactement le 14 décembre 1363, en ce petit village de Gerson près de Rethel dont il a pris le nom ; fils aîné d'une famille nombreuse (douze enfants, cinq garçons et sept filles) — ses brillantes dispositions, encore qu'il fût d'origine modeste, l'ont amené à faire de fortes études ; dès la date de 1377, à quatorze ans, il entre à Paris, au collège de Navarre, après avoir fréquenté les écoles de Rethel et de Reims ; quatre ans plus tard il était licencié ès arts en attendant le doctorat en théologie à l'âge de trente et un ans, en 1394 ; dès l'année suivante il devenait chancelier de l'université de Paris, et de l'église Notre-Dame. Un universitaire, mais encore une fois, très différent : c'est-à-dire que pour lui les ordres sacrés dans lesquels il est entré comptent plus que les grades qu'il s'est acquis et les diplômes accumulés ; ses brillantes capacités, qui l'ont fait remarquer par des maîtres aussi fameux que Pierre d'Ailly, sa facilité d'élocution qui lui vaut une assistance nombreuse lorsqu'il prononce quelque sermon, ne l'empêcheront pas de demeurer proche des humbles et des petites gens ; ainsi gardera-t-il toute sa

vie le souci de l'instruction chrétienne des petits enfants :
« je vous écrirai en français votre a b c », disait-il plus
tard aux enfants de Lyon, dans l'église Saint-Paul où il se
plaisait à les réunir.

Qu'un tel homme soit entré en lice pour dénoncer à son
tour la grossièreté de Jean de Meung dans ses attaques
contre les femmes — c'était un événement dans le milieu
universitaire. Christine n'était plus seule, exposée aux
sommations de Gontier Col et aux attaques indirectes, et
se voulant par là plus injurieuses encore, de Jean de
Montreuil. On conçoit que tout le clan des maîtres
parisiens se soit ému ; on murmurait d'ailleurs que Jean
Gerson ne s'en tenait pas là et commençait la composition
d'un grand traité contre le *Roman de la Rose*.

Cependant le duc d'Orléans organisait en son hôtel, au
mois de janvier 1402, une grande Fête de la Rose à
laquelle assistait Christine, peu à peu reprise par la vie
mondaine ; on y décidait la création de l'Ordre de la
Rose ; les hommes de l'assistance déclaraient entrer dans
cet ordre pour prendre la défense de l'honneur des
dames. Enhardie par ces démonstrations d'amitié qu'elle
avait suscitées, Christine de Pisan compose alors le *Dit de
la Rose* qui à la fois évoquait la fête et décrivait les scènes,
sorte de tableaux vivants, auxquelles elle avait donné
lieu ; on en donna lecture en l'hôtel d'Orléans, au jour de
la Saint-Valentin, fête des amants, et, qui plus est, fête de
Valentine Visconti duchesse d'Orléans, maîtresse de
céans.

Au milieu de roses « blanches, vermeilles et trop

belles », dans des coupes offertes sur les tables du banquet par Loyauté, des chevaliers prêtaient serment :

> *A bon Amour je fais vœu et promesse*
> *Et à la fleur qui est rose clamée...*
> *Qu'à toujours mais la bonne renommée*
> *Je garderai de Dame en toutes choses*
> *Ni par moi femme ne sera diffamée :*
> *Et pour cela prends l'ordre de la Rose.*

Puis Loyauté s'envole :

> *Or m'en vais dire les nouvelles*
> *Au dieu d'Amour qui m'envoya.*

Christine demeure à l'hôtel du duc d'Orléans cette nuit-là. On lui a apprêté un beau lit « blanc comme neige, encourtiné richement et bien ordonné ». Elle s'endort. Diane lui apparaît, porteuse d'un message du dieu d'Amour. Le message s'adresse à tous gentilshommes, non aux vilains. Mais attention :

> *J'appelle vilains ceux qui font vilenie...*
> *Je n'entends pas par bas lignage*
> *Le Vilain, mais par vil courage ;*
> *Mais celui qui noble se fait*
> *De lignée, trop se défait*
> *Si sa noblesse en vilenie*
> *Tourne...*

Cela bien entendu, le message est de se défier d'Envie qui incite à médire et à attaquer l'honneur des autres.

L'envie empoisonne tout par ses mots médisants. Or Médisance est un glaive qui tue à la fois celui qu'il blesse et celui qui le manie. Qu'on se garde surtout de nuire à l'honneur des femmes ; que celles-ci détiennent le pouvoir de conférer l'ordre de la Rose à qui les honore.

Et la déesse disparaît ; mais Christine éveillée allume « une lumière d'huile », et voit les « bulles », les lettres, qu'elle a laissées ; elles sont écrites en lettres d'azur sur un parchemin doré, avec lacs de soie azurée :

> *Et le sceau de belle mesure*
> *Fut d'une pierre précieuse*
> *Resplendissante et gracieuse.*

Ce 14 février 1402 marquait donc pour Christine une sorte d'apothéose : elle avait réussi à émouvoir sur la question les grands de ce monde, tous avaient fait un accueil empressé à son poème.

> *Ecrit le jour Saint-Valentin*
> *Où maints amants dès le matin*
> *Choisissent amours pour l'année :*
> *C'est le droit de cette journée.*

Désormais Christine est la gardienne de l'Ordre de la Rose ; championne du droit des dames, celui qu'avait proclamé déjà trois ans auparavant, en 1399, l'Ordre de l'Ecu vert à la Dame Blanche fondé au jour de Pâques fleuries (ce que nous appelons les Rameaux) par le maréchal de Boucicaut. Peu à peu un courant de chevalerie s'établissait, propre à faire renaître le temps des cours d'Amour, celui de la reine Aliénor, de la reine Blanche.

Et une idée vient à Christine ; pourquoi ne pas porter le débat qui agite ces messieurs de la Sorbonne devant la reine elle-même ? n'est-elle pas l'arbitre toute désignée pour des joutes de ce genre ? Si quelqu'un se doit de soutenir les droits de la femme, n'est-ce pas la reine ? Jusqu'alors en France toute femme était reine ; si l'esprit de chevalerie disparaît, si on laisse les maîtres imbus de leur science clamer leur mépris sans autrement protester, la femme est en péril. Et qui dit que la reine en sera épargnée ?

Christine se met à la besogne ; à force d'avoir été « défenderesse » dans les procès qu'on lui faisait, elle sait aujourd'hui comment on compose un dossier ; elle va préparer le dossier des femmes et le soumettre à la reine Isabeau.

Et résolument, elle entreprend de transcrire en un seul manuscrit les pièces du litige. En tête l'épître qu'elle-même adresse à la reine de France :

« *A très excellente, très haute et très redoutée princesse, madame Isabelle de Bavière, par la grâce de Dieu reine de France.*

Très haute, très puissante et très redoutée dame,... comme j'ai entendu que votre très noble excellence se délecte à entendre lui dire choses vertueuses et bien dites... moi, simple et ignorante entre les femmes, votre humble chambrière, sous votre obéissance désireuse de vous servir... vous envoie les présentes épîtres sur lesquelles Vous pourrez entendre la

diligence, désir et volonté de soutenir contre certaines opinions
à l'honnêteté contraires, l'honneur et louange des femmes... Je
supplie humblement votre digne hautesse (altesse) qu'à mes
raisons... veuilliez ajouter foi et donner faveur. Et tout soit
fait sous votre sage et bénigne correction.

  Ecrit la veille de la Chandeleur l'an 1401 »

(premier février 1402, puisque l'année commence alors au
mois de mars ou à Pâques).

Et comme décidément Christine entend se servir de son
expérience du monde juridique, elle adresse également
une lettre à un personnage dont elle sait qu'il lui sera
favorable ; il s'agit du prévôt de Paris Guillaume de
Tignonville. Le prévôt de Paris, quel qu'il soit, a souvent
eu maille à partir avec les universitaires ; Christine a eu
probablement l'occasion de s'entretenir de sa querelle et
décide de lui envoyer aussi le dossier du débat. Sa lettre à
la reine Isabeau est surtout une adresse ; alors que,
écrivant au prévôt, elle lui fera l'historique de ce débat,
« gracieux et non haineux », dit-elle, en lui demandant
expressément d'intervenir et d'appuyer sa cause : « Je
vous requiers que par compassion de ma féminine
ignorance... votre sagesse me soit force, aide, défense et
appui contre si notables maîtres dont les subtiles raisons
auraient en peu d'heures mis à bas ma juste cause, par
faute de savoir la soutenir ; et ainsi comme bon droit a
besoin d'aide, sous votre alliance je sois plus hardiment
animée à continuer la guerre commencée contre ces
puissants efforts. »

Suit l'historique du débat et la copie des lettres

émanant soit du prévôt de Lille, soit de maître Gontier
Col, et bien sûr ses écrits à elle, Christine.

Guillaume de Tignonville est un important personnage
que le roi Charles VI a chargé de diverses missions
diplomatiques, notamment auprès du pape d'Avignon.
D'une ancienne et noble famille de la Beauce, c'est aussi
un fin lettré ; il a composé un recueil de *Dits des
philosophes* qui a été très lu (on en connaît trente-huit
manuscrits) et, dès la date de 1402, était traduit en langue
provençale. Il a lui-même fait partie de la « cour amoureuse » de 1401-1402 et comprendra Christine. Ajoutons
que, pour que rien n'y manque, il devra en 1408, suite
aux attaques de l'université parisienne, quitter sa charge
de prévôt.

La querelle devait se poursuivre pendant toute cette
année 1402 et déborder encore sur les deux années
suivantes. Jean de Montreuil, battant le rappel de tous
ceux qui pouvaient intervenir, écrit lettre sur lettre,
tandis que Jean Gerson termine au mois de mai son traité
contre le *Roman de la Rose ;* il l'a composé aussi sous
forme allégorique ; il a vu, siégeant « en la cour sainte de
Chrétienté, trois personnages : Justice, Miséricorde, et
Vérité » ; le promoteur des causes, à ses côtés, se nomme
Conscience, tandis que le maître des requêtes est Droit ;
plainte est portée devant ce tribunal par « Chasteté la très
belle, la très pure » ; celle-ci introduit donc une supplique
contre celui qu'elle nomme Fol Amoureux, qui l'offense,
s'en prend au mariage et aussi à ceux qui entrent en
religion, diffame « dame Raison ma bonne maîtresse »,
incite à la luxure, mêle les paroles les plus grossières aux

choses « saintes et divines et spirituelles » — bref, tout ce
qu'on trouve dans le *Roman de la Rose ;* le jugement se
poursuit alors et Raison elle-même intervient contre celui
qui dans le roman l'a fait parler mal à propos ; l'auteur ne
poursuit pas jusqu'à la sentence finale, mais on se doute
que dame Justice fera droit à la demande de Chasteté.

Grand émoi dans le camp des universitaires ! On
pouvait dédaigner de répondre à une « femmelette », non
au chancelier même de l'université de Paris !

Gerson il est vrai commençait à être contesté par ses
confrères. N'eût été la faveur du duc de Bourgogne dont
il jouissait (Philippe le Hardi l'avait distingué et pendant
quatre ans, sur son invitation, Gerson avait été doyen de
l'église de Bruges), on le lui aurait fait durement sentir. Il
venait notamment de mécontenter les universitaires parisiens en plaidant pour les frères mendiants dans l'interminable querelle qui les opposait aux maîtres séculiers : On
sait comment ces derniers, depuis plus d'un siècle,
interdisaient périodiquement aux Dominicains ou aux
Franciscains d'enseigner à Paris ; ils étaient parvenus, au
xiiie siècle, à exclure ainsi de leurs rangs, quelque
temps, un Thomas d'Aquin et un Bonaventure !

Curieuse réaction de cette université parisienne qui est
née d'un sursaut d'indépendance. Lorsqu'au début de ce
même xiiie siècle maîtres et étudiants, d'un commun
mouvement, s'étaient érigés en association autonome (on
disait alors : en « université », comme nous dirions
aujourd'hui en « syndicat »), ils s'étaient ainsi libérés de
la tutelle de l'évêque de Paris sur les écoles de la Cité. Et
voilà que cette volonté de libération s'était très vite muée

en esprit de monopole. Les luttes pour interdire aux religieux l'accès de l'université alimentent son histoire dès le milieu du siècle ; Jean de Meung n'avait pas manqué d'ailleurs de s'en faire l'écho : « Bien est digne d'être brûlé », s'écrie-t-il à propos d'un ouvrage de franciscain que condamnaient les maîtres séculiers ; tous ces frères mendiants, Jacobins ou Cordeliers, incarnent pour lui « Faux-semblant » : des hypocrites. En prenant leur défense, Jean Gerson se mettait dans un mauvais cas.

Un chanoine de Paris, frère de Gontier Col nommé Pierre, prend occasion de la querelle antiféministe pour intervenir ; il adresse à Christine une lettre et cette fois, moins hautain que Gontier, il s'efforce de démonter un à un ses arguments contre Jean de Meung « ce très dévôt catholique et très élevé théologien, ce très divin orateur et poète et très parfait philosophe » ; sa réponse lui donne ainsi l'occasion de s'attaquer à « un écrit fait en manière d'une plaidoirie en la Cour Sainte de Chrétienté » — et donc de confondre Gerson sans avoir à le nommer. Il s'étend longuement sur le chapitre des écarts de langage que Christine reprochait à l'auteur du *Roman de la Rose*, et beaucoup moins sur l'ensemble de la doctrine développée tout au long du poème, et il termine sa copieuse démonstration par un sévère avertissement : « Je te prie donc, femme de grand esprit, que tu gardes l'honneur que tu as, en raison de la hauteur de ton entendement et de ton langage bien ordonné ; et que si on t'a louée parce que tu as tiré une balle par-dessus les tours de Notre-Dame, ne t'essaye pas pour autant à frapper la lune d'un boulet pesant... Prie tous et tous ceux qui veulent

reprendre ou blâmer en quelque part que ce soit, qu'ils le
lisent (il s'agit naturellement du *Roman de la Rose*)
d'abord quatre fois au moins et à loisir pour mieux le
comprendre ». Autrement dit, Christine n'a lu que
superficiellement l'œuvre et s'est lancée à l'étourdie dans
une querelle sans avoir compris l'ouvrage.

Semblable missive, pour longue et lourde qu'elle soit,
« n'émeut en rien le courage ni ne trouble le sentiment »
de la poétesse ; encore qu'elle soit « occupée d'autre part
et que son intention était de ne plus écrire sur cela », elle
reprend la plume et démonte, infatigable, un à un, les
arguments : si elle a reproché à Jean de Meung sa
grossièreté, la crudité avec laquelle il parle des « membres
secrets » de l'homme et de la femme, ce n'est pas par
simple pudibonderie ; « s'il convenait d'en parler pour cas
de maladie ou quoi que ce fût, ce ne serait pas...
déshonnête » ; une fois de plus elle renvoie à la Bible et à
l'histoire d'Adam et Eve qui n'éprouvent le besoin de
cacher leur sexe qu'après avoir désobéi à l'ordre du
Seigneur touchant ce droit de choisir soi-même ce qui est
son bien et ce qui est son mal, que symbolise l'arbre « de
la science du bien et du mal ». Que Jean de Meung se soit
complu à un langage ordurier, qu'il ait pris en dérision la
femme, qu'il ait incité ses lecteurs à assouvir leurs
passions sans vergogne, que ses propos n'aient été
propres qu'à inciter aux « jeux d'amours » sans respect
pour le partenaire — tout cela, on ne peut le nier. Et s'il
décrit si complaisamment les rapports sexuels en les
ramenant d'ailleurs aux ébats des vaches et des taureaux
dans les prés, qu'on n'aille pas prétendre qu'il entendait,

ce faisant, en détourner le lecteur ! Il a dit expressément
« qu'il vaut mieux tromper que d'être trompé. » Tout
dans cet ouvrage est « décevance frauduleuse ». Quant à
elle, Christine, elle croit à l'amour ; elle croit « que
plusieurs ont aimé loyalement et parfaitement, qui jamais
n'y couchèrent et jamais ne trompèrent ni ne furent
trompés... et pour cet amour devenaient vaillants et bien
renommés, et tant qu'en leur vieillesse ils louaient Dieu
de ce qu'ils avaient été amoureux ». C'est esquisser l'idéal
chevaleresque en quelques mots. Jean de Meung n'a pas
su ce qu'était l'amour ; il en a prêché la parodie ; qu'on
n'aille pas citer les auteurs antiques comme Térence pour
avancer que « vérité engendra la haine, et flatterie
l'amitié » ; ce sont là préceptes auxquels une Christine
« ne voudrait seulement mordre » ; tout ce qui est
mensonge, tromperie, décevance, lui fait horreur. Son
correspondant ressemblerait-il à Jean de Meung, ou à
« son prêtre qu'il appelle Genius, qui tant commande de
coucher avec les femmes... et puis dit qu'on les doit
fuir » ! Tel est bien l'enseignement du *Roman de la Rose*
qui « en tout personnage ne peut cesser de vitupérer les
femmes — qui Dieu merci n'en sont pour cela en rien
troublées ». Que peut-il sortir de bon d'un tel ouvrage :
« Quand tu l'as lu, as-tu plus en mémoire le souci de te
garder et de vivre chastement, ou les paroles dissolues ? »
« Tu prétends avoir guéri un de tes amis d'un « fol
amour » en lui faisant lire le *Roman de la Rose* : à qui
feras-tu croire que tu ne l'aurais pas mieux guéri en lui
faisant lire les écrits de saint Bernard. »

Toute l'épître de Christine respire ce bon sens direct,

cette netteté sans ambages ; quant aux passages de
l'Ecriture dont Pierre Col a voulu se servir pour accabler
les femmes, « nous savons bien que c'est faux à les
prendre à la lettre ». Ainsi point par point, bien que tant
de prolixité l'ennuie, réplique-t-elle à l'argumentation de
Pierre Col. Pour finir : « Plût à Dieu que telle *rose* n'eût
jamais été plantée au jardin de Chrétienté ; tu dis être de
ses disciples ; si tu veux en être, sois-le ; quant à moi je
renonce à telle discipline, car je tiens à d'autres que je
crois être plus profitables et me semblent plus agréables ;
et je ne sais pourquoi, plus qu'aux autres, vous vous en
prenez à moi, vous, ses disciples. » Que n'ont-ils en effet
attaqué directement l'œuvre de Gerson ? « Quant à moi,
je n'en pense plus faire autre écriture, car autant entreprendre de boire toute la Seine » ; et elle signe : « Ta bien
veillante amie de Science, Christine de Pisan. »

Pierre Col allait aussitôt reprendre la plume, mais pour
la laisser tomber au bout de quelques paragraphes ; son
épître entreprise au mois de novembre 1402, après qu'il a
reçu le 30 octobre celle de Christine, demeure inachevée.
Quant à Christine, elle a le dernier mot, mais cette fois
par des écrits en vers adressés sous forme de ballade à la
reine, et de rondeaux à Guillaume de Tignonville au
début de l'année 1403, tandis que plusieurs sermons de
Jean Gerson, prononcés notamment pendant la période
de l'avent, au mois de décembre 1402, s'inspiraient de ces
débats à propos du *Roman de la Rose* pour inciter à une
éducation de la sexualité dans le public qui l'écoute. Il y
eut encore quelques épîtres envoyées par Jean de Montreuil pour exprimer son indignation qu'une simple

femme ait osé s'attaquer à un maître et docteur qu'une fois pour toute l'université de Paris avait placé sur un piédestal, mais elles ne rencontrent plus guère d'écho.

Ainsi se termine la première querelle antiféministe de notre histoire littéraire, en ces toutes premières années du xve siècle.

Elle témoigne en tout cas chez Christine d'une vive conscience de la mutation qui s'opère à son époque. Au règne du chevalier succède celui du professeur, de l'intellectuel qui tient à marquer ses distances avec ceux qui n'ont pas eu accès à ce système d'abstractions, de définitions, et de principes qui est le sien : les femmes, le peuple — tout ce qui n'entre pas à l'Université. Le fossé qui se creuse alors ira s'élargissant. Il va caractériser la civilisation bourgeoise, celle qui s'affirme alors, où Université et Parlement seront, avec l'appui de la monarchie, les piliers et aussi la justification du régime de la Loi. Le temps de Christine, c'est celui où la coutume — les usages vécus, la Tradition au sens fort — s'efface peu à peu devant la Loi. Et quand cette Loi deviendra Code, on s'apercevra alors que la femme a littéralement disparu ; elle n'existe plus pour le monde masculin du Code Napoléon.

CHAPITRE VI

FAITS D'ARMES ET DÉFAITES
DE CHEVALERIE

Du cœur ardent, en quoi que ce soit,
vient le grand labeur.

L A querelle du *Roman de la Rose* avait fait grand
bruit dans les milieux universitaires et touché
aussi largement ceux de la noblesse. Christine,
entraînée d'abord presque malgré elle dans ce débat
qu'elle eût voulu « gracieux et non haineux », s'était
trouvée en vedette et au fur et à mesure que se poursuivait
l'échange de lettres ou de traités ; le ton de plus en plus
assuré qu'elle adopte témoigne du renom grandissant et
du prestige plus assuré dont elle jouit désormais. La reine
Isabeau n'est pas restée insensible à la démarche faite par
sa chambrière et cela lui a donné l'occasion d'apprécier
son talent ; à deux reprises les cadeaux qu'elle fait à
Christine apparaissent sur ses livres de comptes ; ce sont,
en 1402 et 1404, des hanaps d'argent dorés, tandis que,

pour le Jour de l'An, elle lui adresse comme présent un gobelet d'argent doré ; dès cette époque les ouvrages de Christine figurent dans sa bibliothèque. Désormais sa position est mieux établie ; on reconnaît son talent, on s'incline devant le courage de cette femme qui n'a pas craint de braver l'université — ce monde interdit aux femmes et qui l'écrase de son mépris. A force de luttes et de ténacité, elle est parvenue à vaincre Fortune, dont il semble que la roue commence à l'élever à nouveau vers un sort meilleur ; son fils Jean est entré au service du duc de Bourgogne ; sa fille, à Saint-Louis de Poissy, est une moniale pleinement heureuse de sa vocation. Moralement, matériellement, Christine s'achemine vers un équilibre que ses efforts, son courage surhumain lui ont bien mérité. Et son train de vie s'améliore. Les difficultés passées n'ont d'ailleurs pas nui à la générosité qu'elle tient de son père : lorsqu'en 1406 le duc de Bourgogne lui fera cadeau de cent écus, elle s'empressera de doter sur cette somme la nièce pauvre demeurée auprès d'elle.

Quant à son allié Jean Gerson, il continue à batailler vigoureusement, plongé qu'il est au cœur de la lutte qui déchire la chrétienté elle-même : le choix du pape, entre les trois qui prétendent alors porter la tiare. Il représente dans ce concert de discussions orageuses où s'expriment, la plupart du temps avec violence, les universitaires, les uns pour Innocent VII, les autres pour Benoît XIII, la voix conciliatrice ; il a même cru pouvoir célébrer Benoît — le pape d'Avignon, qui a la faveur du pouvoir en France — comme celui qui triompherait du schisme. Mais en fait l'université parisienne dans son ensemble est surtout préoccupée de tirer avantage des divisions pour montrer sa puissance, et que c'est elle et non le pape qui possède « la clef de la chrétienté ».

Au premier janvier de l'an 1404, Christine avait offert en étrenne au duc de Bourgogne, Philippe le Hardi, l'un de ses ouvrages : le *Livre de Mutation de Fortune*. Quelques jours plus tard, elle était convoquée au Louvre par Monbertault, le trésorier du duc ; heureux présage pour cette « mutation » dans son sort qu'elle sentait venir après tant d'années de déboires ; deux écuyers, Jean de Chalon et Taupin de Chantemerle, viennent à sa rencontre aussitôt qu'elle a franchi les fossés du château sur le pont du Louvre, et la conduisent en présence de Philippe qui se trouve dans l'une des grandes salles, à ses côtés son fils Antoine comte de Rethel. Le duc a un désir à exprimer : très intéressé par l'œuvre de Christine, il souhaiterait que celle-ci entreprenne une relation du règne de Charles V son frère. C'est une grande œuvre qu'il lui demande là ; une œuvre destinée à faire date : dans l'état actuel du royaume, n'est-il pas opportun de rappeler la sagesse, la prudence, le comportement plein d'équité et de prévoyance du roi défunt ? Son exemple devrait être fructueux pour la génération présente.

Les paroles du duc sont pleines de sous-entendus que Christine a les moyens d'apprécier. Il poursuit en indiquant son propos : il lui faut une œuvre d'histoire sérieuse et bien documentée ; sa bibliothèque personnelle est ouverte à Christine ; et pour commencer il lui remet un volume des *Grandes chroniques de France* contenant la relation du voyage en France de l'empereur Charles IV ;

de cette relation détaillée, au jour le jour, Christine pourra faire usage ; elle aura également à sa disposition tous les mémoires qui peuvent l'intéresser ; qu'elle prenne modèle sur ces œuvres des anciens qu'elle connaît bien, et fasse une compilation qui puisse servir à l'instruction de tous ceux qui exercent quelque charge en ce royaume

Christine ne peut manquer d'être émue ; c'est une marque de confiance, un signe personnel que lui fait le duc. Les travaux d'histoire de la famille royale, ce sont les moines de Saint-Denis qui les ont jusqu'alors assumés, ou parfois, certains grands officiers de la couronne. Voilà qu'elle en est chargée : grand honneur, grande responsabilité aussi ; il est vrai que l'admiration qu'elle éprouve pour ce souverain qu'elle a pu approcher plusieurs fois depuis sa petite enfance, lui facilitera la tâche ; et qu'elle-même sent le parti qu'on peut tirer, pour l'enseignement d'un prince, des faits et bonnes mœurs de ce sage roi Charles V. Un grand honneur dont elle-même se juge indigne certes ; mais elle en apprécie la portée et fera tout pour justifier la confiance que lui témoigne le duc. Un scrupule pourtant lui vient : jusqu'alors, toutes ses œuvres ont été écrites en vers ; or il lui semble que la prose convient mieux à une œuvre historique, témoin Plutarque et Suétone ; saura-t-elle adopter le ton de gravité qui conviendra ? Philippe le Hardi rassure la poétesse ; il sait qu'elle peut manier le « style prosal » comme elle manie les vers, et ne doute pas de sa réussite ; peut-être a-t-il lu les lettres qu'elle vient d'échanger avec messieurs les docteurs de Sorbonne. Toujours est-il qu'il

tient à lui confier, à elle, ce qui sera, il en est sûr, une
œuvre magistrale.

On se doute des sentiments qui agitent Christine après
cette entrevue au Louvre. Pour elle c'est une véritable
promotion ; un degré décisif est franchi, la confiance de
Philippe le Hardi fait d'elle l'historiographe d'un règne
entre tous admiré : quelle récompense à ses efforts !
Quelle confirmation dans ce qu'elle sent être sa voie
désormais ! Quel chemin parcouru par la jeune veuve
pitoyable, en butte aux « rigolages » des greffiers du
Parlement ! Longue vie au duc qui la charge ainsi d'une
œuvre, qu'entre toutes, elle-même eût choisie ; ce roi qui
a souri jadis à la toute petite fille qu'elle était, qui a
comblé son père de bienfaits et retenu son époux dans son
administration, ce roi dont la mort a marqué pour elle le
début du déclin de Fortune, voilà qu'il lui confère, au-
delà de la mort, le retour au plus haut de la roue...

Christine se met au travail avec le zèle joyeux qu'elle
manifeste désormais toutes les fois qu'elle entreprend un
nouvel ouvrage ; elle va se documenter soigneusement et
faire appel à ses souvenirs personnels aussi, ne rien
épargner à la louange du souverain qu'elle admire et
remplir le projet de Philippe le Hardi ; elle réfléchit au
plan de l'ouvrage et décide de le composer en trois
parties ; cela permet une répartition équilibrée.

Il lui revient d'ailleurs en mémoire que Charles V
aimait citer l'exemple du roi Alfred d'Angleterre, qui
faisait « trois parts de ses journées, l'une pour l'oraison et
l'étude, la seconde pour les besognes du royaume, la
troisième pour son repos et ses loisirs ». Cela mesuré par

une chandelle ardente en sa chapelle, et Christine en
conclut : « Il est à présumer qu'encore n'étaient les
horloges communes » — ces horloges que de son temps
on trouve partout, dans les églises, sur les ponts, et dans
toute demeure bien garnie.

Elle réfléchit à ce qu'était l'emploi du temps de
Charles V : Levé chaque jour vers six-sept heures, une
fois « peigné, vêtu et ordonné », il lisait les heures
canoniales, entendait la messe vers huit heures, puis
recevait les audiences et tenait conseil. Il déjeunait à dix
heures. Ensuite avaient lieu les réceptions. Il s'accordait
une heure de sieste; c'était ensuite promenade, jeu de
paume ou autre. Sa femme et ses enfants venaient le
retrouver dans la soirée; ils dînaient; le roi se faisait
ensuite faire quelque lecture, ou s'entretenait avec ses
barons avant le sommeil.

Une foule de détails lui reviennent sur ses goûts, ses
habitudes, sa haute sagesse, ses qualités chevaleresques,
et aussi les divers événements qui ont marqué son règne.
Elle compte interroger quelques-uns de ceux qui l'ont
connu et se reporter d'abord, en dehors de l'ouvrage des
Grandes chroniques que lui a remis le duc, à certaines
chroniques qui déjà ont attiré son attention; ainsi la
Chronique normande, ou l'œuvre de Bernard Gui, *Flores
chronicorum;* et elle sait aussi — son père lui en avait
parlé — que quelqu'un a composé en latin une relation de
la mort du roi. Et comment négliger de s'adresser à
Bureau de la Rivière, premier chambellan du roi, entre
les bras duquel il est mort; lui et son épouse Marguerite
d'Auneau seront d'une aide précieuse; Bureau, qui est

« sage, prudent, beau parlier, homme de belle faconde »,
avait toute la confiance de Charles le Sage et durant
longtemps, une douzaine d'années, son fils Charles VI lui
a continué cette confiance ; le jeune roi lui avait même
rendu visite dans ses splendides propriétés de Crécy-en-
Brie. Bureau, qui s'occupe personnellement de l'aména-
gement de ses jardins, lui avait même fait les honneurs
des plantations d'une nouvelle espèce de laitue dont il
avait récemment rapporté les plants d'Avignon, et que
pour cette raison il appelait la « romaine ». Un être d'une
curiosité universelle, ce Bureau de la Rivière, et d'une
activité universelle aussi ; lorsqu'il a reçu chez lui Philippe le Hardi, le duc de Bourgogne, il a gagné la partie de
paume engagée avec le frère du roi et l'on raconte que son
autre frère, Jean, duc de Berry, est jaloux des collections
de manuscrits qu'il a réunies ; l'une de ses dernières
innovations a été de faire venir du Midi de la France de
singuliers tubercules noirâtres qu'on appelle des truffes,
qui donnent une saveur et un parfum exquis aux pâtés
que lui confectionnent ses cuisiniers. Donc, Christine ira
trouver Bureau et recueillera de sa bouche tout ce qui a
pu concerner les goûts personnels du roi Charles V, ses
habitudes, probablement aussi quelques mots qu'il a pu
retenir de ses entretiens. Elle verra également son secrétaire, Léon Tabari, et pourquoi pas son cuisinier, le
fameux Guillaume Tirel, dit Taillevent, s'il vit encore ?

Et Christine, laissant là toute autre occupation, se met
à l'ouvrage avec son impétuosité coutumière ; elle a
calculé qu'il lui faudrait environ quatre mois pour
terminer la première partie de l'œuvre et le 28 avril 1404,

la poétesse triomphante écrit les derniers mots de cette
première partie, non sans quelque émotion : le duc sera-t-
il satisfait ? Mais oui. Elle en est sûre. Elle n'a rien négligé
en tout cas pour qu'il le soit ; elle y a mis toute son ardeur,
toute la ferveur de son souvenir envers son frère le roi, et
se dit aussi, non sans un soupir, que les très généreuses
rémunérations promises par Philippe le Hardi assurent
désormais son existence de façon confortable ; le spectre
de la misère et de cette lutte sordide, épuisante, menée
jour après jour pour le pain quotidien, est désormais
écarté.

Le lendemain, quand se fait entendre par les rues la
trompette du héraut, Christine ouvre la fenêtre sur cette
belle matinée d'avril finissant et reçoit en plein cœur la
nouvelle : le bon duc de Bourgogne, Philippe le Hardi,
est mort deux jours plus tôt, le 27 avril, dans le château de
Hal en Hainaut où il s'était rendu ; son fils Jean lui
succède ; le reste des détails se perd dans un brouillard où
Christine pense défaillir. Le duc a été victime de l'épidémie de grippe infectieuse qui sévit dans ces régions ; il est
mort soudainement, tragiquement, comme son époux à
elle.

Pleurez, Français, tous d'un commun vouloir,
Grands et petits, pleurez cette grand perte ;
Pleurez, bon roi, bien vous devez douloir...
Votre loyal noble oncle, le très sage,
Des Bourguignons prince et duc excellent...
Pleurez, Reine, et ayez le cœur noir
Pour cil, par qui fûtes au trône offerte ;
Pleurez, dames, sans en joie manoir (demeurer)

France, pleurez, d'un pilier es déserte (privée)
Dont tu reçois échec à découverte...

Grande perte pour Christine, cette mort d'un homme de soixante-deux ans qui paraissait encore en pleine possession de ses moyens comme de sa santé ; grande perte pour son fils Jean, entré à son service et dont le duc avait remarqué les brillantes capacités, grande perte pour le royaume où Philippe le Hardi paraissait seul capable de maintenir par son autorité personnelle un ordre devenu de plus en plus précaire, et compromis avant tout par les rivalités qui se dessinaient entre Bourgogne et France. Dans l'incapacité, devenue périodique, du malheureux Charles VI dont les crises de démence étaient plus fréquentes et plus dangereuses, les ambitions de son frère le duc d'Orléans, son appétit de plaisirs aussi, et son insouciance à confondre impunément le trésor royal avec sa cassette personnelle, devenaient de plus en plus scandaleuses ; le duc Philippe pouvait parler avec autorité — une autorité que ne possédait plus Jean de Berry perdu de vices (son dernier favori en date est un « paveur de chemin », un garçon fruste rencontré par hasard et que le prince couvre de joyaux et de bijoux — après avoir littéralement rançonné les populations du Languedoc), et qui n'est plus qu'un vieillard sans prestige. Le fils et successeur du duc de Bourgogne, Jean, est un petit homme noir et dur, d'une laideur massive, avec un regard fixe qui inquiète. Christine éprouve à son endroit une sorte de répulsion, peut-être parce qu'il manque totalement d'élégance et qu'au contraire de son père on ne sent pas en lui le moindre attrait pour les choses de l'art et celles de l'esprit. Intrépide : il l'a prouvé à Nicopolis ; car Jean a fait partie de cette dernière croisade, celle qui a quitté Dijon un jour d'avril 1396 après des fêtes splendides, pour franchir le Danube, et rencontrer enfin devant Nicopolis le sultan Bajazet ; celui-ci s'est emparé pratiquement de toute la Bulgarie ; sous sa conduite les Turcs ottomans menacent la Grèce et déjà le duché d'Athènes lui paye tribut ; c'est alors que l'empereur de Byzance qui n'a plus guère d'empereur que le nom, Manuel II, a adressé à l'empereur d'Allemagne Sigismond l'appel que les princes d'Europe ont pour une fois entendu ; en fait Constantinople, jadis tête de l'Asie Mineure, est aujourd'hui réduite à ce qu'encerclent ses puissants remparts.

> *... Le voyage outre-mer*
> *A fait en amours maints dommages...*

C'est peut-être à Nicopolis que Jean sans Peur a gagné son surnom le 22 septembre 1396, mais sa bravoure l'a entraîné trop loin : après avoir enfoncé les avant-gardes turques, les nobles français sous sa conduite — Jean avait entraîné avec lui tous les plus grands noms : le comte Enguerrand de Coucy, l'amiral Jean de Vienne et surtout le valeureux maréchal Boucicaut — n'ont pas voulu écouter les conseils de ceux qui connaissaient la tactique des armées ottomanes et, fonçant à l'aveugle, se sont trouvés soudain devant quarante mille janissaires ; le résultat a été un véritable massacre suivi d'ailleurs du

massacre des prisonniers chrétiens par le sultan Bajazet,
furieux des pertes subies.

Les correspondances des marchands italiens se font
l'écho de ces tueries. On y lit à la date du 27 novembre
1396 : « Nous apprenons de Venise et de Gênes que les
chrétiens ont été déconfits par le Turc et que la bataille a
duré six jours, ce qui est un grand événement. On dit que
quatre-vingt-dix mille chrétiens et trois cent mille Turcs
ont été tués. Si c'est vrai, voilà une grande nouvelle et
bien mauvaise pour les chrétiens, à moins que les rois, les
grands princes et la foi chrétienne n'y apportent
remède. »

Jean de Nevers a été racheté pour la somme énorme de
deux cent mille florins, Boucicaut, lui aussi, a échappé à
la mort ; mais la défaite de Nicopolis, chacun le sent, est
un prélude à la chute désormais inéluctable de Constantinople.

Philippe a été enseveli sous une robe de chartreux,
comme il l'avait voulu, dans cette Chartreuse de Champ-
mol dont il avait posé la première pierre vingt et un ans
plus tôt, au jour de la Saint-Bernard, 20 août 1383,
dépensant ensuite sans compter pour en faire un chef-
d'œuvre d'architecture et de sculpture qui reste inachevé ;
chacun se pose la question de savoir si son fils poursuivra
son œuvre. Christine, elle, continue la sienne sans
défaillir, elle achève le 20 septembre la deuxième partie
du *Livre des faits et bonnes mœurs de Charles V* et le 30
novembre la troisième ; elle pourra l'offrir comme
étrennes au nouveau duc de Bourgogne ; il s'en faut de
beaucoup qu'elle ait pu avoir de sitôt le fruit de son

labeur ; cependant, deux ans plus tard, le duc Jean fera l'acquisition de son manuscrit, le 20 février 1406 ; il daignera même lui accorder divers présents les deux années suivantes et plus tard encore, en 1412, lui accordera quelques gratifications, cela surtout grâce à sa fille Marguerite, épouse du comte de Hainaut Guillaume IV, qui aime Christine et la protège ; le frère de Jean, Antoine de Bourgogne, lui aussi, se montrera généreux ; on a mention des dons qu'il lui fait à deux reprises, en 1408 et 1409.

*
**

« Quelle plus grande perplexité peut venir au cœur de mère que voir ire (colère) et contents (querelles) naître et continuer jusqu'au point d'armes de guerre prendre et saisir par assemblées entre ses enfants légitimes et de loyaux pères, et à tant monter leur félonie qu'ils n'aient regard à la désolation de leur pauvre mère qui, comme piteuse de sa portée, se fiche entre eux pour départir leur bataille, mais eux, mus par courage inanimé (sans âme), sans épargner ni avoir regard à honneur maternel, ne détournent le trépignis de leurs chevaux contre sa révérence, tant que tout la débrisent et mehaignent (blessent). »

Christine, qui sait voir bien au-delà de son intérêt propre prend conscience au fil des jours de la gravité d'une situation qui ne cesse d'empirer autour d'elle ; un beau jour elle va de nouveau prendre la plume et s'adresser à la reine Isabeau de Bavière ; c'est le 5 octobre

1405 qu'elle lui écrit ainsi, et cette date montre à quel
point elle a eu prescience des événements cruels qui vont
se dérouler.

Un premier conflit ouvert vient en effet d'avoir lieu en
juillet-octobre de cette année 1405 entre Jean sans Peur et
Louis d'Orléans ; celui-ci apprend que le cousin de
Bourgogne se rend à Paris (sa mère Marguerite de
Flandre vient de mourir un an après son époux, le 21
mars 1405), et que pour venir à ses obsèques à Paris il
s'est fait accompagner de cinq mille lances, a persuadé la
reine Isabeau de quitter la capitale et de venir se réfugier à
Melun avec le dauphin Louis de Guyenne et la dauphine
Marguerite qui est d'ailleurs la propre fille de Jean sans
Peur ; Jean à l'étape de Louvres-en-Parisis est informé de
ce départ ; il traverse Paris sans s'arrêter le 19 août, et
rejoint à Juvisy sa fille, son jeune époux le dauphin et leur
escorte que dirige Louis de Bavière, le frère d'Isabeau ;
d'autorité il renvoie celui-ci et ramène à Paris l'héritier du
trône. Le peuple parisien accueille avec enthousiasme
ceux dont le départ ressemblait à un enlèvement et Jean
sans Peur, devant les grands corps de l'Etat, le Parlement, la Chambre des comptes, l'Université, dénonce ce
qu'il considère comme un attentat de son cousin
d'Orléans contre la famille royale. Quelques jours plus
tard Louis d'Orléans prend la parole à son tour : la reine
n'a fait que son devoir, elle a charge de ses enfants, et
c'est à elle de les protéger contre les empiétements du
Bourguignon qui s'est présenté dans Paris avec ses
troupes. Quelques jours encore et celui-ci réplique ; on
assiste à un duel qui vraisemblablement ne restera pas

purement verbal puisque l'un et l'autre rassemblent leurs hommes.

En s'adressant à la reine Isabeau, Christine souligne le rôle d'arbitre qu'elle doit jouer. Rôle officiel, car des lettres royales qui lui ont été octroyées trois ans plus tôt (6 janvier et 16 mars 1402) lui ont donné tout pouvoir de « connaître et juger des débats et discours qui peuvent survenir entre nos seigneurs les ducs et ceux de sang royal » ; mais déjà le prestige de la reine a subi des atteintes ; on lui reproche de n'être pas plus que les princes économe des deniers publics, un pamphlet qui circule en dit long :

> *Quant est aussi de la reine*
> *Tout son penser, tout son attaine*
> *Et d'en prendre ce qu'elle en peut ;*
> *Mais non pas tant comme elle veut.*

Et d'ailleurs certains vont plus loin : cet appétit de fêtes, de réjouissances, de costumes éblouissants, ne vient-il pas chez la reine de l'influence de Louis ?

Une fois de plus les commerçants italiens se font l'écho de la prodigalité véritablement extravagante dont le duc fait preuve et à son exemple son entourage dans le luxe du vêtement. Ils constatent : « Aujourd'hui les gens sont plus lents que jamais à acheter et on a plus de peine à vendre une cotte qu'on en avait à vendre mille florins de harnais ; tout cela parce que les gens de guerre ont peu d'argent et ce qu'ils devraient dépenser en armes ils le dépensent en vêtements et en ornements de leur personne. Ainsi font les marchands, les artisans et tous les gens qui vivent aujourd'hui, qui dépensent en vêtements et en ornements deux fois plus qu'ils n'avaient coutume de le faire; cela cause un grand tort à beaucoup de métiers. »

Un autre pamphlet, moins virulent que le *Songe véritable* déjà cité, mais plus perfide, le *Pastoralet*, les accuse nettement d'adultère; ce qui est certain, c'est qu'on les a vus trop souvent ensemble, que ces bals de la Cour parfois ont failli tourner au tragique, comme cet affreux bal des Ardents et que de tout cela, on accuse Louis : il dilapide les deniers du peuple sans autre souci que ses propres amusements; d'ailleurs, cette année même, au cours d'une promenade à Saint-Germain-en-Laye, il était en compagnie d'Isabeau quand, les chevaux de leurs voitures s'étant emballés, ils ont failli l'un et l'autre se noyer dans la Seine. Cette escapade l'avait quelque peu rendu prudent; il avait même, pris de remords, fait publier qu'il s'acquitterait de ses dettes dès le dimanche suivant, et que ses créanciers pourraient se présenter en son hôtel de Bohême, mais on murmure qu'ils trouvèrent une fois de plus porte close. La reine, qui devrait tempérer la mise à sac des finances royales, ne pense qu'à tirer profit elle aussi de la situation; elle a fait nommer quatre trésoriers qui chacun lui ont offert deux mille cinq cents livres à cette occasion. La chose s'est sue et des voix autorisées se sont élevées pour le reprocher à Isabeau, entre autres celle de Juvénal des Ursins qui a protesté contre cette manière d'acheter des charges qui ne devraient être données qu'à la compétence et l'honnêteté.

Christine elle aussi parle des gens « qui se mêlent de finances » ; beaucoup sont des trésoriers, collecteurs des deniers publics, qu'on a vus s'enrichir en moins de dix ans ; elle en a suffisamment rencontré quand il lui fallait hanter les alentours du Parlement.

> *Là vis leur cour pleine de gens*
> *Et tout pour pourchasser argent*
> *Avec boîtes à mandements.*

Sur le même sujet s'élèvera la grande voix de Jean Gerson qui dans son sermon prononcé le 7 novembre 1405 dénoncera, en présence du roi, les scandales de la Cour et demandera « que les officiers de justice ou autres ne soient plus pris pour argent » ; il s'élève aussi contre les tailles excessives dont se plaint le bon peuple de France ; « n'emportez rien, dit-il aux grands du royaume, ne prenez rien sans duement payer » et il supplie le roi de se conduire « bénignement, justement et raisonnablement » envers ce peuple qu'on sent désormais à bout de patience.

Cependant ces grands ne songent qu'à se narguer réciproquement : batailles d'emblèmes bien dans le goût du temps. Louis d'Orléans adopte sur son blason un bâton noueux, avec la devise « je l'ennuie » ; Jean sans Peur aussitôt prend pour insigne le rabot avec la devise « je le tiens », et les dames acquises aux idées bourguignonnes ne tarderont pas à porter pour orner leurs robes des « rabotures », des copeaux d'argent. Expressions visibles des rivalités qui les opposent à la Cour, et dans les décisions par eux prises, qui concernent, elles, le sort du royaume.

Christine n'est pas seule à s'épouvanter de ces menaces ; les vieux oncles, le duc de Bourbon, le duc de Berry, trouvent non sans raison qu'à la cour de France se joue un jeu dangereux ; une première fois dès le 16 octobre 1405, ils obtiennent une réconciliation entre Louis et Jean, ils ont bu et mangé ensemble, puis décidé l'un et l'autre de licencier leurs armées respectives. L'année suivante, des fêtes solennelles les réunissent à Compiègne pour un double mariage, celui de Charles d'Orléans, le fils de Louis, avec celle qui avait été reine d'Angleterre, Isabelle de France, fille de Charles VI, sa cousine, et d'autre part, mariage de Jean de Touraine, fils aîné du roi de France, avec Jacqueline de Bavière, fille du comte d'Ostrevent, Guillaume IV de Bavière ; celle-ci ne sait pas que ce mariage n'est que le premier d'une série qui sera longue et mouvementée, puisqu'elle se mariera quatre fois — tandis qu'Isabelle de France, elle, pleure de toutes ses larmes, en dépit du faste qui l'entoure et des efforts qui sont faits pour donner à ce double mariage allure de réconciliation entre les dynasties rivales de France et de Bourgogne : son époux, le futur prince-poète, n'est qu'un enfant de onze ans, et elle-même perd son titre de reine d'Angleterre auquel elle tenait malgré son caractère dérisoire, ajoutons pour son excuse qu'elle-même n'a que seize ans...

Ces mariages vont-ils réellement ménager la paix ? Jean sans Peur cependant manœuvre pour se rendre populaire ; il fait rendre aux Parisiens le droit de tendre des

chaînes dans les rues pour assurer leur sécurité ; ces
chaînes leur avaient été retirées depuis la révolte des
Maillotins, on en commande 600 aux forgerons parisiens ;
elles seront forgées et posées en huit jours. Visiblement le
duc compte tirer profit des expériences d'un Etienne
Marcel un demi-siècle plus tôt ; c'est à Paris désormais
que se joue le sort du royaume, les libelles qui circulent,
le *Songe véritable*, ou encore cet autre poème, l'*Apparition
maître Jean de Meung*, que son auteur Honoré Bouvet
avait dédié à son père, ne plaident-ils pas l'un et l'autre
pour la maison de Bourgogne ? Par ailleurs, Jean sans
Peur est solidement appuyé sur les ressources des gros
financiers de l'époque, en particulier le Lucquois Dino
Rapondi qui jadis a avancé l'argent de son énorme rançon
après Nicopolis. Heureusement, car Louis d'Orléans a
restreint puis supprimé les pensions et aides royales,
versées aux princes. Une lutte sourde mais active se livre
entre lui et le Bourguignon au sein du Conseil royal.

Le point de non-retour, ce sera le drame du 23 novembre 1407.

« Il faisait assez brun cette nuit-là », note le chroniqueur Monstrelet. Louis d'Orléans était allé rendre visite
à la reine Isabeau qui n'était pas encore relevée des
couches de son douzième enfant, un petit garçon, Philippe, hâtivement baptisé durant les quelques heures où il
vécut. Le valet de chambre du roi, Thomas de Courte-
heuse, vient trouver le duc : « Monseigneur, le roi vous

mande que sans délai veniez vers lui, il a à vous parler
hâtivement et pour chose qui grandement touche à lui et à
vous. » Louis ne sait pas que cet appel a été prévu dans le
complot minutieusement préparé auquel Thomas parti-
cipe ; il se met en chemin avec deux écuyers et cinq ou six
valets de pied portant des torches ; au coin de la rue des
Poulies, une bande d'une vingtaine d'hommes d'armes
qui s'étaient logés dans une auberge près de la porte
Barbette, « à l'image Notre-Dame », fond sur lui, l'envi-
ronne. « Je suis le duc d'Orléans » — « C'est celui que
nous cherchons ! » Trois hommes de la suite du duc
tombent ; Louis, qui s'est ainsi désigné, a la tête fracas-
sée ; on s'acharne sur lui, sa cervelle se répand dans la
boue, le bras droit arraché, le poing gauche coupé, c'est
un massacre auquel met fin une voix dans la nuit :
« Eteignez tout. Allons-nous-en ! il est mort, ayez cœur
d'homme. »

> *Pour le noble duc d'Orléans*
> *Te prie que garde les liens*
> *De l'ennemi qui toujours veille.*
> *Prie ton fils que de tous biens*
> *Il remplisse lui et les siens*
> *Et l'âme en paradis recueille.*

avait écrit quelque temps auparavant la poétesse dans son
Oraison Notre-Dame.

On n'eut pas le temps ni le cœur de transporter le
cadavre de Louis dans sa chambre luxueuse en lambris de
bois d'Irlande, tendue de drap d'or, à roses et bordée de

velours vermeil, il fut déposé dans l'église des Blancs-
Manteaux, puis, dès le lendemain, inhumé dans l'église
des Célestins. Jean sans Peur parut aux obsèques et joua
même l'affliction. Mais déjà le prévôt de Paris, Guillaume
de Tignonville, avait entrepris son enquête ; assez rapidement il faisait arrêter un nommé Raoulet d'Anqueton-
ville, perdu de dettes et condamné pour diverses escro-
queries, qui était au service du duc de Bourgogne ; deux
jours plus tard, devant les ducs d'Anjou et de Berry
consternés, Jean sans Peur avouait son crime : « Par
l'introduction du Diable j'ai fait faire cet homicide. » Le
lendemain matin, à l'aube de ce 26 novembre 1407, il
quittait Paris secrètement et gagnait la Flandre à marches
forcées.

Peut-être est-ce par le prévôt, son ami, que Christine
aura connu par la suite tous les détails du drame, mais
plus encore elle aura été à même de mesurer l'habileté
politique du meurtrier, et son propre discernement à elle.

Son habileté, le duc de Bourgogne en donnait la preuve
en s'éclipsant de la scène. L'émotion soulevée par un
drame sans précédent dans les annales de la cour de
France, la pitié pour Valentine Visconti, la jeune et belle
veuve dont la douleur attendrit le peuple (réfugiée à
Château-Thierry, puis dans son château de Blois, elle a
pris pour devise : « Rien ne m'est plus, plus ne m'est
rien », et ne quitte pas le noir) ont créé pour un temps un
climat qui lui est évidemment défavorable. Mais très tôt
des bruits ont circulé, que dans la bourgeoisie des
bouchers aussi bien que chez les universitaires, on répète
complaisamment : le duc Louis n'était qu'un ambitieux,

il méditait lui-même la mort de Jean sans Peur ; sa conduite avec le roi était étrange ; dans quelle mesure n'a-t-il pas lui-même empoisonné son frère, et provoqué ses accès de démence ? Et Christine, non sans indignation, recueille les échos de ces bruits qui circulent chez ses ennemis de jadis, les universitaires parisiens ; certains d'entre eux n'hésitent pas à faire du meurtrier une sorte de héros, le sauveur du royaume. Ah ! le pouvoir de l'opinion !

Dans son ouvrage qu'elle appelle l'*Avision Christine* la poétesse a évoqué sa rencontre avec Dame Opinion ; c'est un rêve qu'elle raconte, procédé littéraire décidément fort employé ! — elle s'est trouvée au cœur même de l'université, dans la noble cité d'Athènes ; « lors joyeuse d'être parvenue à si noble université, voulant faire profiter mon sens de leur savoir, je m'arrêtai parmi les écoliers des diverses facultés de science disputant ensemble de maintes questions formant argument » ; mais soudain « haussant ses yeux », elle remarque au plafond « des parties d'ombre assemblées par grande foule comme font nuées au ciel » ; elles sont de toutes couleurs, elles s'entremêlent, elles ne peuvent se différencier les unes des autres, elles forment finalement comme une « grande ombre féminine sans corps » ; c'est là Dame Opinion. Cette vision indécise qui sans cesse se renouvelle s'adresse à Christine et : « je suis fondée, dit-elle, sur ce que la fantaisie rapporte à l'homme, soit en mal ou en bien, je fais souvent faux jugement et dis qu'une chose est bonne alors qu'elle est mauvaise, et aussi l'opposé. Et pour ce advient souvent que je fasse haïr et aimer sans cause et

diffamer sans l'avoir mérité... Je ne suis jamais certaine :
si certitude il y avait ce ne serait moi... Je ne suis ni habile
nulle part, si ignorance et entendement ne sont
ensemble ».

Cette déesse en demi-teinte, sans forme ni couleur,
possède pourtant un immense pouvoir. Christine, à
l'entendre parler, comprend qu'elle est responsable de
nombre de « rébellions, débats, commotions et batailles », et Dame Opinion elle-même détaille complaisamment son action : « Regardez et avisez quelle discorde je
mets mêmement entre les princes qui sont de même sang
et amis naturellement ; par mes diversités je les fais
devenir comme ennemis... Et, à discuter leurs raisons, ne
vois-tu pas les assemblées qu'on dit sages et où, chacun
pour soi, ceux qui y adhèrent ont des différends les uns
avec les autres » ; et Christine qui juge sévèrement Dame
Opinion de conclure pour elle-même : « Vraiment, vous
êtes fille d'ignorance et c'est à cause de l'ignorance des
hommes que le monde est par vous plus gouverné que par
le savoir. »

Ces pages pleines de sagesse et d'une étonnante prescience, Christine les a écrites deux ans avant le meurtre
du duc d'Orléans, au temps où elle s'évertuait à faire
prendre conscience à la reine de l'abîme où s'en venait le
royaume, en 1405.

Car le *Livre des faits du sage roi Charles V* a ouvert et
orienté son ambition ; elle a compris qu'elle était capable

d'écrire des œuvres plus graves et plus substantielles que celles qu'elle avait composées précédemment.

Aussi son activité en ces années sombres s'inspire-t-elle de la situation présente pour tenter de répandre un peu de sagesse et de souci du bien commun parmi les grands personnages dont elle a l'écoute ; elle a conscience que face à ces hommes qui ne savent que se battre, qui ne rêvent qu'ambition et ne s'occupent que d'une féroce lutte d'influence, la reine représente, elle, ce qu'une voix féminine peut faire comprendre : d'abord le bien des peuples, d'abord le souci de la paix ; et certainement la reine Isabeau a été sensible à son appel, mais peut-être n'avait-elle pas la personnalité qu'il eût fallu — celle d'une reine Blanche deux siècles plus tôt — pour apaiser les différends entre les princes.

C'est ainsi qu'à peine terminé le *Livre des faits du roi Charles V*, Christine a entrepris le *Livre du corps de policie*. Policie, c'est la politique, le bon gouvernement, de même avait-elle dédié au duc d'Orléans le *Livre de la Prod'hommie de l'homme* dont elle a rédigé deux versions, l'autre intitulée *Livre de la Prudence* ; enfin et surtout, dès le printemps de 1405, elle avait écrit le *Trésor de la cité des dames*, appelé aussi *Livre des trois vertus*, qui était dédié à la jeune dauphine de France, Marguerite de Bourgogne, la propre fille de Jean sans Peur à qui elle avait pu l'offrir le 7 novembre de cette même année 1405. Dans ce livre, Christine s'adresse aux dames et c'est un appel à prendre conscience de la dangereuse situation où elles se trouvent dans un royaume de plus en plus exposé aux divisions, aux luttes continuelles ; c'est de paix, non de luttes, que le peuple a besoin.

A la même époque et même probablement composée un peu auparavant (entre le 13 décembre 1404 et le mois d'avril 1405) une première esquisse de l'œuvre s'était intitulée le *Livre de la Cité des dames ;* on y voyait Raison, Justice, et Droiture conseillant à Christine de les aider à construire une cité où seraient abritées les dames dépourvues de toute défense et de toute protection. Inutile de dire combien sa propre expérience se reflétait dans cet ouvrage ; elle rejoignait d'ailleurs celle des femmes rendues veuves par les guerres, voire par les épidémies ou seulement par les querelles privées qui naissent en des temps de désordre où les haines s'exaspèrent. Toute une esquisse de la société ressort de ses ouvrages : ce qui est, ce qui pourrait être si la voix des femmes y était mieux entendue.

Christine a été lue ; elle a même été lue au-delà de nos frontières avec plus d'attention qu'en France — comme il arrive souvent ; c'est au point que le *Livre du corps de policie* a été traduit en anglais et édité à Londres, alors qu'il n'avait jamais été édité en France, dès la date de 1521 ; il faudra attendre 1940 pour en voir quelques extraits imprimés en France ! Son édition complète n'apparaît qu'en 1967 en Suisse, par les soins de Robert Lucas, américain, professeur à l'université de Californie.

En revanche il y a quelqu'un dont la voix sera fort entendue en France, à Paris même, dès la date de 1408, c'est celle de maître Jean Petit.

Il s'agit d'un docteur de l'université de Paris qui avait fait ses études au collège du trésorier — fondation normande — tandis que le duc de Bourgogne, Philippe le Hardi, lui donnait « bonne et grande pension pour l'aider à tenir (se maintenir) aux écoles ». Il avait acquis ses grades très régulièrement : maître ès arts, licencié, enfin docteur en théologie ; originaire du pays de Caux, de la vallée de Bacqueville, non loin de Dieppe, il a très tôt révélé son aptitude à obtenir des bénéfices profitables : l'un à Saint-Martin de Rouen, un autre à Bénéglise, un troisième à Paris.

Christine avait certainement déjà entendu parler de maître Jean Petit ; il s'était fait remarquer lors de ces interminables discussions que soutenait l'université de Paris à propos du schisme dans la papauté ; en novembre 1406, une assemblée du clergé avait entendu pendant deux jours de suite un discours de Jean Petit ; le ton de l'orateur, ses manières toutes empreintes d'une sorte de grossièreté en partie affectée, tout en lui rappelait ce langage de Jean de Meung dont la poétesse avait horreur ; il traitait de « tête de mule » celui qui se nommait Benoît XIII (en quoi il n'avait pas tort d'ailleurs : celui qu'on devait appeler le pape de la Lune à cause de son nom de Pedro de Luna allait faire montre d'une étonnante obstination à vouloir garder la tiare sans y avoir droit !) ; quant à ses procureurs exerçant le droit de visite, ils n'étaient pour lui que « merdaille ». Jean Petit était de ces universitaires qui voulaient, en clair, d'une Eglise gallicane, séparée du pape ; le schisme lui donnait occasion de plaider crûment pour cette solution radicale que souhaitaient beaucoup d'entre eux ; dès 1392 d'ailleurs il avait publié un poème, la *Complainte de l'Eglise,* dans lequel il s'exprimait déjà sans ménagement.

Or, à la fin du mois de décembre 1407, le duc de Bourgogne avait mandé Jean Petit à Amiens ; depuis plusieurs années déjà conseiller officieux de la famille ducale qui avait assumé ses frais d'études, il allait en devenir désormais le conseiller et porte-parole officiel. Deux mois plus tard Jean sans Peur lui assignait rendez-vous à Laon d'où il s'ébranlait vers Paris où il fit son entrée suivi d'une armée équipée à ses frais, le 28 février 1408. Et quelques jours plus tard, le 8 mars, dans la grande salle de l'hôtel Saint-Paul avait lieu une séance solennelle. Des notables parisiens soigneusement choisis, de très nombreux universitaires et les princes de la famille royale et apparentés y avaient été convoqués ; le duc de Bourgogne, en robe de velours vermeil semée de feuilles d'or et fourrée de petit-gris, présidait ; lorsqu'il levait le bras pour accueillir quelques invités de marque ou pour donner la parole à l'orateur, on pouvait apercevoir, par les manches ouvertes, sa cotte de mailles. Maître Jean Petit commença sur le coup de dix heures lecture de la *Justification* qu'il avait rédigée ; il devait parler pendant quatre heures sans désemparer.

Réduite à l'essentiel, à travers les innombrables citations d'Aristote, de Sénèque, de Cicéron, et aussi de saint Augustin, ou de saint Thomas d'Aquin, la *Justification* représentait un de ces exercices de style auxquels excellaient les universitaires parisiens. Un syllogisme en trois points : il est permis de mettre à mort un tyran, or Louis d'Orléans, frère du roi, était un vrai tyran, donc le duc de Bourgogne a bien agi en le faisant mettre à mort. Jean Petit avait une première fois développé ce superbe raisonnement à Amiens sous une forme simplifiée : « Chose licite avait été au duc de Bourgogne de faire ce qu'il avait fait au duc d'Orléans, disant outre que, s'il ne l'eût fait, il eût très grandement péché. » Et comme il n'apparaissait pas très clairement à première vue en quoi Louis d'Orléans avait pu être un tyran, Jean Petit développait longuement ce second point avec un ramassis de ragots qui à première vue semblent peu compatibles avec la logique rationnelle dont se réclamait l'université ; il s'agissait d'accusations de sorcellerie développées à grands renfort de détails magiques et incantatoires ; des scènes extravagantes se sont déroulées à la tour de Montjay près de Lagny, des invocations du diable par un moine impudique, muni d'un anneau et d'une épée et d'un badelaire (coutelas) que les démons accourus avaient rendus rouges comme écarlate, accompagné d'un écuyer et d'un valet qui étaient là présents avec le prince ; ils étaient allés mettre ensuite cet anneau dans la bouche d'un pendu au gibet de Montfaucon, après quoi le duc d'Orléans en avait usé pour rendre fou le roi son frère ; il lui avait fait boire aussi du liquide contenant une poudre faite avec les os et les poils de ce même pendu. Le duc d'Orléans d'ailleurs était familier de semblables sortilèges : ne portait-il pas sur lui une branche de cornouiller qui lui permettait de réduire toutes les femmes qu'il rencontrait à faire sa volonté ? Au château de Neauphle on l'avait vu jeter une poudre blanche sur le rôti destiné

au roi ; l'aumônier de la reine qui en mangea mourut peu
après ; et d'ailleurs, à ce fameux bal des Ardents, n'est-ce
pas le duc qui avait, d'une torche enflammée, fait périr les
malheureux déguisés en sauvages au milieu desquels le roi
n'avait été sauvé que par miracle ? En d'autres termes, ces
ragots accumulés tentaient de faire passer Louis
d'Orléans pour coupable de lèse-majesté, de trahison, de
sorcellerie à défaut de pouvoir démasquer en lui le tyran :
d'autres accusations de caractère politique suivaient : on
allait jusqu'à accuser le duc d'Orléans d'avoir participé au
complot d'Henri de Lancastre contre Richard II roi
d'Angleterre. En bref le duc de Bourgogne avait bien agi
en le faisant tuer et loin de le blâmer, le roi se devait de le
récompenser en le comblant d' « amour, honneur et
richesse ».

Cette surprenante plaidoirie nous a été conservée dans
plusieurs manuscrits dont trois au moins sont des
ouvrages de luxe agrémentés de miniatures dans lesquels
on voit toujours un loup s'attaquant à la couronne, tandis
qu'un lion, d'un coup de patte, le renverse. C'est le lion
de Bourgogne (il figurait dans les armoiries ducales) qui
empêche le loup (jeu de mots pour *Louis*) de nuire au roi ;
la plaidoirie avait été soigneusement préparée par toute
une équipe d'universitaires qui désormais formaient le
conseil de Jean sans Peur et parmi lesquels se trouve un
recteur de l'université de Paris dont l'histoire retiendra le
nom : Pierre Cauchon.

On imagine combien pareils flots d'argumentations où
la logique formelle voisine avec les calomnies les plus
vulgaires, laissa les Parisiens pantois. Christine pouvait y

voir le type même des manœuvres de Dame Opinion
répandant, indistinctement mêlés, le vrai et le faux, avec
le résultat infaillible de semer la discorde.

L'appui de l'université parisienne est pour cela inappréciable. Que ne démontre-t-on pas à coups d'arguments ? Sans parler de la puissance effective qu'elle
représente avec ses quarante-cinq collèges. On raconte
qu'un jour de procession à Saint-Denis, la tête du cortège
avait atteint la basilique royale, que le recteur fermant la
marche se trouvait encore aux Mathurins ! Les contemporains sont conscients du pouvoir à la fois moral et
politique qu'elle détient ; témoin le chroniqueur de
Charles VII, Gilles le Bouvier, qui constate : « La dite
université avait grande puissance en ce temps-là à Paris,
tellement que quand ils mettaient la main en une besogne
il fallait qu'ils en vinssent à bout, et se voulaient mêler du
gouvernement du pape et du roi ou de toutes autres
choses. »

Reste que par sa mise en scène Jean sans Peur, avec
l'aide de l'université de Paris, a impressionné du moins
ceux qui s'étaient trouvés réunis à l'hôtel Saint-Paul. Le
roi lui-même était absent (victime à nouveau d'une crise
de démence), mais l'un de ses fils, Louis duc de Guyenne,
était là et avec lui, Louis II d'Anjou, les ducs de Berry et
de Bretagne, les comtes d'Alençon et de Tancarville.
Convaincus ? On ne saurait le dire ; du moins l'impression
était si forte que, comme l'écrit Jouvenel des Ursins, « il
n'y eut si hardi qui en eût osé parler au contraire ».

Le meurtrier avait donc réussi à retourner l'opinion en
sa faveur ; le roi revenu à la raison lui donne les lettres de

rémission qui l'absolvent ; on se demande si la harangue avait produit forte impression sur son fils Louis âgé alors de onze ans ! De toute façon le malheureux Charles VI, de plus en plus, n'est guère qu'une marionnette, un instrument docile pour le dernier qui lui parle.

Mais comment peut-on oublier à ce point la veuve ? C'est la question que se pose Christine avec amertume. Elle qui a connu ce sort et dans ses vers tentait d'émouvoir les grands, les nobles, ceux qui entourent le pouvoir en faveur des veuves, elle ressent douloureusement l'oubli dans lequel on laisse Valentine Visconti. Celle-ci, à l'approche de Jean sans Peur et de ses hommes — dont on sait qu'ils sont dirigés par Jean de Vergy, maréchal de Bourgogne, un homme que n'effraie aucun genre d'opération militaire — s'est réfugiée en son château de Blois où lui parviennent les échos de l'assemblée du 8 mars. Elle n'a pourtant pas perdu espoir, ni surtout la volonté de se faire rendre justice. Et voilà qu'une occasion se présente : Jean sans Peur doit quitter Paris à l'annonce d'une révolte des Liégeois contre l'évêque qu'il leur a imposé, son beau-frère Jean de Bavière ; celui-ci, assiégé dans Maëstricht, réclame son aide de toute urgence ; le duc de Bourgogne quitte Paris ; ses troupes font de même. Valentine alors se décide à agir ; à son tour elle rentre dans Paris ; certes le duc de Bourgogne a pris soin de mettre en place des hommes à lui ; ainsi le prévôt Guillaume de Tignonville, qui est l'ami de Christine, accusé lui aussi, comme jadis Hugues Aubriot, d'avoir violé les privilèges de l'université sera destitué. Il reste que le monde de la Cour ne peut

qu'accueillir la personne de Valentine et son émouvante
requête ; à son tour elle obtient qu'une assemblée solennelle soit réunie pour entendre au moins celle-ci, et, le
11 septembre 1408, réponse est faite à la *Justification* de
Jean Petit par l'abbé de Cérisy, Thomas du Bourg.
Valentine est présente, toute de noir vêtue ; elle est
soutenue par son avocat Guillaume Cousinot et son
chancelier Pierre l'Orfèvre — et aussi par la troupe de
Bretons envoyée dans Paris par le duc Jean V. La reine
Isabeau a accueilli avec affection sa belle-sœur ; désormais
la cause de Valentine semble gagnée, même si Dame
Opinion continue à troubler et fausser les jugements.

Or, pendant ce temps, Jean sans Peur, justifiant son
surnom qui d'ailleurs fut peut-être gagné à cette occasion,
remporte à Othée, près de Tongres, une éclatante victoire
sur les Liégeois ; et tandis que Jean de Bavière, rétabli de
force sur son siège épiscopal, se venge bassement,
supprime toutes les libertés dont jouissaient les sujets de
ce prince-évêque — jette au feu leurs bannières et dans la
Meuse les principaux chefs des émeutiers — Jean sans
Peur, comme jadis son cousin Charles VI après Roosebecke, regagne Paris avec l'auréole de sa victoire. Désarroi dès lors dans le camp orléanais ; la reine Isabeau,
qu'accable la nouvelle crise de démence de Charles VI, se
retire à Tours et en fait le siège d'une sorte de régence.
Place nette pour le vainqueur : le duc de Bourgogne entre
dans la capitale à la tête de ses troupes le 28 novembre,
tandis qu'à Blois, Valentine, mortellement atteinte par ce
nouveau coup, expire quelques jours plus tard, le
4 décembre de cette lourde année 1408.

Face au Bourguignon, restent en présence, les trois fils de la lignée d'Orléans dont l'aîné Charles, dix-sept ans, sera bientôt veuf de son épouse Isabelle de France (1409), Philippe de Vertus et Jean d'Angoulême. Mais, tandis que l'universitaire Jean Petit, inlassable, prépare une réfutation de la réponse qu'avait lue l'abbé de Cérisy — au passage il le traite de « vieil enfumé, becjaune et glorieux cornard », qualifiant son argumentation de « barateuse, tricheresse et déshonorante » — le Bourguignon, lui, met en place une autre tactique. Jean Petit en sera pour ses frais d'éloquence ; ce qu'on prépare désormais, c'est, dans le cadre de la cathédrale de Chartres, une séance de réconciliation entre Bourgogne et Orléans. Elle a lieu le 9 mars en présence du roi Charles VI et de la reine Isabeau, des ducs de Berry et de Bourbon, des comtes d'Alençon et de Vendôme et des membres du Parlement, de la Chambre des Comptes et du Grand Conseil : noblesse et administration. Mais non sans la présence d'une double escorte, chacune de six cents hommes armés amenés par chacun des princes adversaires. Cérémonie solennelle encore qu'elle fut courte ; elle se termine par un serment de réconciliation et, comme toujours lors des traités de paix, un mariage est prévu : Philippe de Vertus épousera une fille de Jean sans Peur.

Un chroniqueur raconte que le duc de Bourgogne avait en sa compagnie un fou — de ces joyeux fripons, remplaçant les ménestrels de jadis et autorisés à tout dire — et que celui-ci « alla acheter une paix d'église (coussin) et la fit fourrer et disait que c'était une paix fourrée ».

Cependant maître Jean Petit, l'éloquent professeur, n'en démordant pas, passait le reste de son existence à rédiger encore une troisième *Justification* avant de mourir à Hesdin le 15 juillet 1411 dans une retraite d'ailleurs très confortable — car, si le duc de Bourgogne n'avait pas fait usage de ses dernières œuvres, il n'avait pas moins doublé sa pension de conseiller. Mais les événements allaient plus vite que ses arguties d'avocat et ses démonstrations de rhétoricien. Charles d'Orléans, à dix-huit ans, veuf d'Isabelle de France, épousait en 1409 Bonne d'Armagnac ; elle était la fille de Bernard VII d'Armagnac, seigneur méridional bien pourvu et surtout bien entouré. Les marchands lucquois qui faisaient l'entourage du duc de Bourgogne notaient dans leurs correspondances que ce dernier « restait le plus grand et le plus puissant seigneur de ce royaume ; sa puissance, disaient-ils, provient des troupes qu'il peut lever sur ses terres. Il peut tant en amener qu'il ne craint personne » ; or la France méridionale, elle aussi, fournissait des troupes de Gascons qui volontiers s'enrôlaient comme routiers et demeuraient attachés au roi de France. Ce terme d'*armagnac*, que Christine allait entendre employer pour la première fois en l'année qui marque le vrai tournant dans les événements, on allait bientôt lui donner la signification qu'il a gardée dans l'histoire ; la France coupée en deux, ce sont désormais d'une part les *Bourguignons*, de l'autre les *Armagnacs*.

Christine le sentait : désormais, au règne de Dame Opinion, allait succéder celui de la violence qu'elle avait soulevée. La paix de Chartres avait été négociée par Jean de Montagu, l'un des anciens conseillers de Charles V qu'elle connaissait bien ; or, le 17 octobre, aux halles, Jean de Montagu était décapité après de longues tortures par ordre de Jean sans Peur. Il fallait que le Bourguignon fût bien sûr de sa force, car l'évêque de Paris, le propre frère de Montagu, réclama vainement sa dépouille qui demeura exposée à Montfaucon. Paris prenait peur. Le Bourguignon, pour assurer sa victoire, se rapproche d'Isabeau de Bavière ; cette fois, c'est à Melun que le mois suivant (11 novembre 1409) elle fait alliance avec Jean qui s'empresse d'installer, comme prévôt de Paris, un homme à lui, Pierre des Essarts.

Sentant le besoin de riposter, l'opposition, celle des Armagnacs, resserre ses rangs, que rejoignent les deux ducs de Bourbon et de Berry, jusqu'alors un peu indécis, mais effrayés de l'ambition du duc de Bourgogne ; c'est le traité de Gien (15 avril 1410) qui décide une levée de troupes pour le parti orléanais. Christine, le 23 avril, écrivait au duc de Berry, le suppliant de déployer tous ses efforts pour tenter de rétablir la paix ; elle s'épanchait ensuite dans une *Lamentation sur les morts de la guerre civile* déjà installée dans le royaume ; cette fois ce sont les efforts de l'université qui sont à l'origine d'une nouvelle « paix fourrée », celle de Bicêtre. Mais si l'on s'employa, ce 2 novembre 1410, à interdire et empêcher les rassemblements de troupes, c'était surtout pour le duc de Bourgogne qu'on travaillait, car ses troupes à lui étaient déjà levées et bien en place, tandis qu'il ne se souciait pas d'en voir se former d'autres et menacer Paris où il parlait désormais en maître.

Après quelques indécisions Charles d'Orléans allait faire le geste qui déclenchait la guerre : le 11 juillet 1411, il faisait appel au roi, à l'université et en général aux bourgeois de la bonne ville de Paris pour réclamer, à propos du meurtre de son père, une justice qui jamais n'avait été faite ; la semaine suivante, le 18 juillet 1411, il adressait à Jean sans Peur une lettre de défi. Pierre des Essarts, prévôt de Paris, menaça le messager qui la lui apportait et jura qu'il exécuterait sans autre forme de procès le héraut qui dorénavant lui apporterait des nouvelles de ce genre.

Christine avait vu avec inquiétude des groupes suspects se former aux alentours de Saint-Jacques de la Boucherie ; c'était là le quartier des tenanciers auxquels les gens de la grande Boucherie parisienne louaient leurs étaux ; jusque sur le quai de la Mégisserie où vivaient les corroyeurs et teinturiers de cuir, tout un peuple de gens de main, écorcheurs, baudroyeurs, tanneurs, gens des abattoirs et autres s'agitaient : plèbe peu rassurante que pouvaient facilement manœuvrer les tout-puissants maîtres de la Boucherie parisienne, lesquels vivaient du gros commerce des bestiaux et du profit des ventes sans exercer eux-mêmes ; on connaissait notamment les Legoix, toute une dynastie de bouchers qui, entre le père et les trois fils, possédaient, sur ce quartier de Paris, une puissance pratiquement sans limites ; or leur père faisait partie de l'entourage même de Jean sans Peur.

Christine devait vivre claquemurée durant les journées d'angoisse qui allaient se succéder, tandis que la reine s'enfuyait à Corbeil pour tenter de se soustraire à l'emprise bourguignonne ; la terreur régnait jusque dans le conseil du duc ; l'évêque de Saintes qui avait suggéré de la part de celui-ci une amende honorable pour le bien de la paix dut s'enfuir secrètement pour sauver sa vie ; le petit peuple des abattoirs et de la boucherie pillait sans réserve dans les maisons dont on disait qu'elles étaient celles des Armagnacs ; les Legoix agissaient comme des chefs d'armée ni plus ni moins que le connétable de Saint-Pol que Jean sans Peur avait installé comme capitaine de la ville. Et la terreur était si forte que quand le 23 octobre 1411 Jean sans Peur se présenta lui-même aux portes de Paris, il fut reçu dans la capitale.

Songeant aux scènes de violence auxquelles elle avait assisté, à l'horreur de cette guerre menée au mépris de toute humanité, de tout sentiment fraternel entre gens qui vivaient sur un même sol et parlaient la même langue, Christine s'était mise à composer un nouvel ouvrage : le *Livre des faits d'armes et de chevalerie*. Il aurait pu porter en sous-titre : comment on menait autrefois les guerres justes ; il y eut jadis des coutumes de guerre qui ménageaient le droit des gens, qui protégeaient les populations civiles et, quant aux gens de guerre, leur apprenaient à procéder de façon encore humaine, cherchant non à tuer, mais à faire des prisonniers, à redresser les torts, non à établir le pouvoir par la force ; à cette époque on n'eût pas supporté que la guerre dégénérât ainsi en pillage, et querelles de rues, brutalité effrénée, donnant libre cours aux vengeances personnelles, et violences gratuites.

Cet ouvrage étonnant montre à quel point Christine

s'est intéressée en profondeur à toutes les préoccupations du temps, fût-ce les plus éloignées de l'atmosphère féminine. La guerre est partout ; Christine va donc exposer ce que peut, ce que doit être la guerre. Et significativement elle commence son ouvrage par une invocation à Minerve, déesse de la Sagesse :

« Ô Minerve, déesse d'armes et de chevalerie, qui par vertu d'élu entendement au-dessus des autres femmes trouvas et instituas, entre les autres nobles arts et sciences qui de toi naquirent, l'usage de forger de fer et d'acier, armures et harnais propices et convenables à couvrir et protéger corps d'homme contre les coups des dards nuisibles tirés et lancés aux batailles en faits d'armes, heaumes, écus, targes et autres harnois de défense,... instituas et donnas manière et ordre d'arranger batailles et d'assaillir et combattre. Dame et haute déesse, ne te déplaise ce que moi, simple femmelette, ... ose présentement entreprendre à parler de si magnifié office comme est celui des armes, duquel premièrement en la renommée contrée de Grèce tu donnas l'usage ; et te plaise m'être favorable, que je puisse être consonante en la nation dont tu fus née, qui fut nommée la Grande Grèce : le pays d'outre les Alpes qui est dit Pouille et Calabre en Italie où tu naquis — et je suis comme toi femme italienne. »

Avec ce discret rappel de ses origines, il est remarquable de voir Christine faire allusion d'abord en ce prologue aux moyens de défense en un moment où l'on va de plus en plus porter attention dans la guerre aux moyens d'attaque : la proportion entre les deux s'écartera sans cesse jusqu'en un temps où dans la pratique, on ne s'inquiétera plus que des moyens d'attaque...

Cependant, à travers tout Paris, chacun s'empressait de faire étalage de ses sentiments bourguignons ; partout les bourgeois portaient en sautoir sur leurs habits la croix de Saint-André que Jean sans Peur avait prise pour insigne ; partout on rencontrait des gens coiffés du chaperon vert à ses armes, et Pierre des Essarts dépensait largement pour s'assurer du loyalisme des bourgeois parisiens. Le duc de Berry lui-même, à qui Christine s'était vainement adressée, prenait conscience du péril le jour où une bande de gens à la solde des Legoix vint saccager son château de Bicêtre, jetant au feu pêle-mêle les coffres ouvragés et les tableaux de prix auxquels il tenait tant. Quant à l'université, le duc de Bourgogne ne lui ménagerait ni les flatteries ni les occasions de discourir. Partout on se battait au petit bonheur, à Saint-Cloud, à Saint-Denis, à Etampes. Dans l'une de ces rencontres, l'un des fils Legoix fut tué, ce qui fut l'occasion pour Jean sans Peur de se rendre à Paris et de présider en personne à ses obsèques solennelles, suivi par tout le peuple des abattoirs. Pire encore, le duc de Bourgogne enrôlait parmi ses troupes douze cents Anglais, que lui envoyait avec empressement, à son appel, le roi Henri IV de Lancastre ; ce sont eux qui se livrent à l'attaque sur Saint-Cloud. Ainsi l'étranger qu'on redoute pénètre-t-il dans la guerre entre Français. Or, au mois de janvier 1412, un moine augustin, Jacques Legrand, voyait ses bagages saisis en débarquant d'Angleterre dans le port de Boulogne ; on y trouva des lettres du duc de Berry sollicitant lui aussi le

concours du roi d'Angleterre ; si la manœuvre bourguignonne avait provoqué quelques indignations, on imagine
que Jean sans Peur de son côté ne laissa pas passer
inaperçue la manœuvre armagnac ! En fin de compte,
après une tentative de siège devant Bourges, le duc de
Berry allait se prêter à des négociations de paix pour
lesquelles l'université offrait de servir d'intermédiaire ; la
paix devait être conclue à Auxerre (15 juillet 1412).
Christine en ce temps-là commençait une nouvelle œuvre,
le *Livre de la Paix* que cette fois elle dédiait au dauphin
Louis de Guyenne. Puisque la reine ne manifestait
décidément pas assez d'autorité ni de décision, il fallait
bien s'adresser, malgré sa jeunesse, au prince qui portait
les espoirs du royaume ; on y voyait le personnage de
Prudence qui conseillait le jeune prince afin que soit
maintenue une paix si précaire et difficilement acquise.

Le pays cependant ne se remettait qu'avec peine de cet
hiver ensanglanté ; à Auxerre le dauphin s'était montré, il
avait invité le duc d'Orléans et le duc de Bourgogne à
s'asseoir à la même table ; on les avait vus ensuite, après
échange de protestations d'amitié, se promener montés
sur un même cheval ; pouvait-on cette fois croire à une
paix véritable ?

L'année suivante, le trésor étant vide, il fallut réunir les
états généraux ; les séances s'ouvrirent le 30 janvier 1413 à
l'hôtel Saint-Paul. L'université ne pouvait manquer de se
manifester ; on remarqua surtout le discours de l'un des
professeurs, Eustache de Pavilly, et celui du recteur qui
fit lire pendant une heure et demie des remontrances
inscrites sur un interminable rouleau auxquelles avaient

collaboré les grands bourgeois; on y stigmatisait les dépenses du roi, de la reine et du dauphin, celles des officiers de finance, trésoriers et fonctionnaires, les lenteurs de l'administration, les négligences des gens du Conseil, de la Chancellerie et du Parlement; pour terminer on faisait confiance au duc de Bourgogne pour entreprendre les réformes nécessaires.

Or à Paris le quartier de la Boucherie n'en était plus à attendre des réformes; le fils d'une tripière du parvis Notre-Dame, un écorcheur, Simon le Coutelier qu'on surnommait Caboche, était l'un des émeutiers les plus écoutés; il s'en prend à Pierre des Essarts, un Bourguignon pourtant, mais qui durant son passage à la prévôté de Paris s'était largement servi au vu et su de tous; il est fait prisonnier dans son hôtel; on force la porte de l'hôtel du dauphin dont les officiers sont la proie des émeutiers; tout Paris est en révolution. Durant ce mois de mai 1413, Christine abandonne l'ouvrage commencé « pour matière de paix défaillie »; comment une voix pacifique pourrait-elle se faire entendre devant des débordements que le duc de Bourgogne lui-même est incapable d'arrêter; seuls Caboche et les Cabochiens peuvent désormais parler haut et fort; pour leur donner des gages, deux séances au Parlement, les 26 et 27 mai 1413, enregistrent cette ordonnance qu'on nommera « cabochienne »; elle a été rédigée à la hâte pour donner des gages à ceux qui font régner la terreur dans la rue, trace vaguement un programme dans lequel on spécifie que désormais les fonctionnaires et gens de finances seront élus : le Parlement, la Chambre des Comptes, tous les corps de justice

seront de même nommés par élections ; ainsi, explique-t-
on, ce n'est plus la faveur du roi, mais la volonté des
électeurs qui désignera les trésoriers, les magistrats, les
baillis ou procureurs, etc. Trop tard. Un homme désormais règne en maître. Ce n'est même plus Caboche, c'est
le bourreau Capeluche. Dans une de ces séances théâ-
trales dont il est désormais coutumier, le duc de Bourgogne Jean sans Peur lui serre la main ; tortures, massacres et saccages se succèdent.

Pierre des Essarts a été exécuté le 1ᵉʳ juillet et l'on s'en
prend au petit bonheur aux uns et aux autres, Christine à
nouveau enfermée chez elle apprend avec horreur qu'on
en veut à la vie de son fidèle soutien et ami Jean Gerson,
Gerson le loyal, le pacifique. De tout le mois de mai elle
n'en a aucune nouvelle ; elle apprendra plus tard que le
chancelier de l'Université a vécu tout ce temps dans les
combles de Notre-Dame de Paris, échappant de justesse à
la mort, au pillage de son hôtel, au sort de nombre de ses
confrères.

Christine ne reprendra qu'au mois de septembre le
Livre de la Paix et dans cette seconde partie elle
multipliera ses avis au Prince pour qu'il se fasse aimer de
ses sujets et s'entoure de chevaliers forts et justes. Une
troisième partie suivra, achevée le 1ᵉʳ janvier 1414, qui
l'exhorte à la clémence, à la générosité, à la vérité enfin :
toutes les vertus qui inspiraient l'action du sage roi
Charles V. Entre-temps quelqu'un s'est révélé, dont la
voix trouve des échos dans la population parisienne
désormais terrorisée : c'est Jean Jouvenel des Ursins, le
prévôt des marchands ; il tient tête à Jean sans Peur et se

tourne vers les princes orléanais. Les Bourguignons se sont rendus odieux à force de violence, c'est désormais vers les Armagnacs qu'iront les sympathies populaires ; l'université elle-même ne cherche plus qu'à négocier avec eux — encore que ses registres restent muets sur les troubles parisiens en mai 1413. Finalement, après des négociations à Vernon et à Pontoise, dans cette dernière ville est élaboré un *nouveau traité de paix*, le 28 juillet. Jean Jouvenel décide de recourir au vote quartier par quartier, dans Paris, pour ou contre la paix de Pontoise ; deux seulement lui sont hostiles : celui des Halles, quartier des bouchers, et celui d'Artois, où réside Jean sans Peur ; le traité de paix stipule que désormais personne ne devra se dire Armagnac ou Bourguignon. Précaution inutile ; dès le 4 août, quand les votes sont connus, les chaperons blancs disparaissent comme par enchantement, et l'on voit les bourgeois de Paris coiffés de chaperons violets ornés de la croix blanche en sautoir, qui est l'insigne des Armagnacs, tandis que leur devise : « le droit chemin » apparaît partout. Jean sans Peur tente un coup d'Etat : il enlève le roi le 22 août ; mais il sera rejoint dans le bois de Vincennes par Jean Jouvenel encore, avec le duc de Berry obligé désormais de prendre une part active aux événements. Triomphalement Charles VI sera ramené au Louvre tandis que Jean sans Peur regagne ses Etats. Le 5 septembre on annulera l'Ordonnance dite cabochienne, tandis que Jean Gerson, reparu au grand jour, fait désavouer par l'université les assertions de Jean Petit sur le tyrannicide. C'est alors que

Christine, pleine d'espoir, a repris la rédaction de son
Livre de la paix.

Elle ne pouvait prévoir qu'un Bernard d'Armagnac
allait transformer la paix de Pontoise en offensive armée
contre les fiefs du duc de Bourgogne : siège de
Compiègne, siège de Soissons, menace sur ce fief bourguignon qu'est l'Artois — Jean sans Peur voit déjà ses
Etats vaciller ; trois villes, Laon, Saint-Quentin, Péronne,
se rendent au roi de France — ce qui signifie alors : aux
Armagnacs. Finalement il souscrira lui aussi à la paix
qu'il signe à Arras le 4 septembre 1414 ; il renonce alors à
toute alliance anglaise, moyennant quoi ses fiefs lui
demeurent et lui-même ne sera pas inquiété ; il ne pourra
toutefois venir à Paris qu'avec la permission expresse du
roi.

Conditions extrêmement modérées donc, à l'endroit du
Bourguignon. On aurait pu croire que les exhortations de
Christine avaient été entendues ; cette année 1414, en fin
de compte, était bien celle de la paix obtenue grâce aux
efforts de Dame Prudence ; celle-ci pouvait se réjouir de
voir qu'on ménageait le duc de Bourgogne en un temps
où il s'agissait avant tout de ne pas le rejeter vers l'alliance
avec Henri V de Lancastre.

Le jeune prince remuant et hardi qui occupe depuis
l'année précédente le trône d'Angleterre (Henri IV était
mort le 20 mars 1413) a suivi de près les événements de
France et sait bien qu'en Angleterre même sa propre
puissance se trouvera contestée jusqu'au moment où il
l'aura affermie sur le continent ; les événements de mai
1413 montrent que ce pays totalement divisé est une proie

facile ; l'un des deux camps, il le sait, ne manquera pas de
faire appel à l'Anglais. On raconte que le dauphin Louis
de Guyenne lui a envoyé un baril rempli de balles de
tennis, cadeau ironique qu'il saura exploiter. La balle
désormais est dans le camp anglais.

Les événements qui vont suivre seront pour Christine
comme pour la France entière un véritable calvaire.
Dame Prudence désormais se trouve largement distancée,
tout comme Dame Opinion. Seule compte la voix des
armes ; seule compte la force et toute chevalerie sera
réduite à l'impuissance même au cours des combats. Non
seulement parce que les chevaliers de France sont équipés
de façon désuète dans leurs lourdes armures qui les
rendent impuissants devant un ennemi agile comme
l'archer anglais ou le coutilier gallois, mais aussi parce
que les anciens usages sont totalement oubliés et mépri-
sés ; après la bataille d'Azincourt les Anglais vont massa-
crer leurs prisonniers, sauf ceux dont ils espèrent rançon ;
devant l'Histoire les Anglais s'en excuseront difficilement, déclarant que leurs prisonniers étaient trop nombreux pour qu'ils puissent les garder. Il reste qu'Azincourt marque un tournant dramatique dans les usages de
la guerre. Si, au siècle précédent, on avait pour la
première fois entendu tonner les bombardes sur le champ
de bataille, si la proportion s'était renversée entre moyens
de défense et moyens d'attaque, ces derniers désormais
plus puissants que ceux-là — c'est dans la mentalité du

guerrier lui-même que s'opère alors un autre bouleverse-
ment ; la guerre d'extermination a fait son apparition en
Occident.

Christine écrira en 1416 son *Epître de la prison de vie
humaine*, pour tenter, dit-elle, de porter remède à « l'effu-
sion des larmes ». Toute France pleure depuis cette
journée du 25 octobre 1415 qui a vu coucher sur le champ
de bataille ou après la bataille quelque sept mille combat-
tants (les Anglais n'ont perdu que quatre à cinq cents
hommes dans le combat !) Pour comble le dauphin Louis
de Guyenne meurt le 18 décembre de cette même année ;
son frère Jean de Touraine lui succède ; il a dix-sept ans et
mourra l'année suivante — d'ailleurs sans avoir fait
seulement son entrée dans Paris, laissant son peu enviable
titre à Charles qu'on n'appelle encore que Charles de
Ponthieu, âgé de treize ans. La France est bien une « nef
qui menace de sombrer ».

On apprendra successivement les agressions de Henri
V sur la Normandie après un nouveau débarquement à
Touques aussi réussi que le coup de main sur Harfleur
deux ans auparavant — et ce n'est pas sans angoisse que
Christine entendra parler de Salisbury, son capitaine,
celui-là même avec qui son fils a vécu trois ans en
Angleterre lorsqu'il était enfant. Et c'est Salisbury qui
s'empare de Deauville et du village. Puis ce sera Caen,
Bayeux, Argentan, Alençon, Falaise et finalement tout le
Cotentin qui sera occupé. Seul le mont Saint-Michel
résiste.

Et l'Anglais ne cache pas ses intentions de se conduire
comme en pays conquis. Les Normands sont mis en

demeure de jurer fidélité à leur roi ou de partir en renonçant à tous leurs biens. Pendant ce temps, à Paris, Bernard d'Armagnac ne songe qu'à sa vengeance et prend une ordonnance contre la grande Boucherie ; les années précédentes ont montré que les grands bourgeois étaient prêts à toutes les trahisons, mais dans les circonstances présentes, n'était-il pas plus indiqué de tenter de se les rallier que de les rejeter dans la collusion avec le Bourguignon ? Celui-là pourtant ne perd pas son temps. Au mois de mai 1417, il fait un séjour à Calais où il rencontre Henri V ; rien ne transpire de leurs entrevues. Quel effarement eût saisi Christine si elle avait connu les termes du « pacte infernal » qui lie alors le Bourguignon et l'Anglais ; Jean sans Peur a lui-même écrit, sans le signer, l'acte qui désormais le lie à Henri V ; il promet de lui faire hommage-lige comme à son seigneur quand il aura recouvré une notable part du royaume et de reconnaître ses descendants pour héritiers de France...

Et la reine ? Que fait la reine ? Isabeau n'est décidément pas à la hauteur des événements ; on l'accuse d'avoir déposé de l'argent comme réserve personnelle, dans diverses maisons religieuses ; elle vit à Tours, retirée au couvent de Marmoutiers, voulant sans doute se faire oublier.

Jean sans Peur, lui, a compris qu'il y a en elle un otage tout trouvé. Un beau jour les Parisiens stupéfaits apprendront que, littéralement enlevée par les Bourguignons, la reine est désormais installée à Troyes et qu'elle vient d'octroyer au duc de Bourgogne « le gouvernement et administration de ce royaume ». Qui gouverne désormais, du dauphin de quinze ans ou de sa mère secondée par le puissant Bourguignon ?

Cependant le pape Martin V, avec qui s'est achevée la grande déchirure dans l'Eglise, s'émeut de la situation du « très chrétien royaume de France » ; il envoie deux légats qui tentent de réaliser l'impossible union entre Français. Bernard d'Armagnac (il a récemment exilé bon nombre d'universitaires) les reçoit avec son intransigeance habituelle ; les cardinaux repartent déçus et Jean sans Peur a la part belle d'accuser les Armagnacs de l'échec des négociations.

Christine n'a aucun mal à se rendre compte qu'autour d'elle la situation chaque jour se dégrade. L'année 1417, quatre tailles successives ont été levées sur les Parisiens que la famine commence à menacer ; la ville s'est emplie d'une quantité de réfugiés venus surtout de Normandie, au point qu'on doit augmenter le nombre des moulins qui la ravitaillent. Jean sans Peur n'a pas manqué de faire crier haut et fort qu'avec lui tous les impôts seraient annulés, sauf la gabelle du sel ; la monnaie a été mainte fois dévaluée ; on ne trouve plus rien sur les marchés. Mais, dans leurs arrière-boutiques, les épiciers et bouchers trouvent toujours de quoi vendre à qui leur offre beaucoup d'argent. En ce mois de mai 1418 l'atmosphère ressemble singulièrement à ce qu'elle était cinq ans plus tôt, quand les Cabochiens tenaient la rue.

L'événement décisif a lieu le 29 mai 1418. On apprend que la porte Saint-Germain-des-Prés a été ouverte vers deux heures du matin par une main criminelle au duc de Bourgogne ; en réalité, c'est, comme toujours, un garçon de la haute bourgeoisie parisienne, Perrinet Leclerc, (la bourgeoisie du fer cette fois, celle des bouchers ayant été matée par Bernard d'Armagnac) ; son père, un gros marchand sur le Petit-Pont, est l'un des chefs de quartier (cinquantenier) de la ville ; Perrinet a dérobé la clef de la porte sous son oreiller, d'accord avec le sire de l'Isle-Adam, capitaine de Pontoise pour Jean sans Peur ; un millier d'hommes acheminés silencieusement cette nuit-là vers la capitale, par des voies différentes, ont pénétré jusqu'au cœur de la Cité. Au matin Paris s'est réveillé bourguignon ; Bernard d'Armagnac a été immédiatement fait prisonnier au Louvre, Charles VI à l'hôtel de Saint-Paul n'a plus de toute façon ni sa raison ni sa liberté. Mais — ô bonheur ! — le dauphin qui dormait à l'Hôtel-Neuf près de la conciergerie du Palais a été emmené en chemise par le prévôt Tanguy de Châtel qui, ayant eu vent de l'entrée des hommes d'armes, a eu la présence d'esprit de l'aller chercher tout endormi et de l'emmener à la Bastille Saint-Antoine ; on dit même qu'ils se sont enfuis à Melun le lendemain, mettant quelque distance entre l'espoir du royaume et les troupes bourguignonnes.

Et de nouveau c'est l'émeute dans la capitale ; on coiffe hâtivement le chaperon aux armes de Bourgogne et il suffit de montrer du doigt celui dont on veut se venger en criant : celui-là, c'est un Armagnac ! pour qu'il soit massacré sans autre forme de procès. Dans la journée on entasse des munitions, on façonne des boulets de pierre pour aller assiéger et prendre la Bastille. Mais le propos est abandonné lorsqu'on sait que le dauphin n'y est plus. Profitant de l'occasion, et d'ailleurs, semble-t-il, remar-

quablement organisés pour ce faire, les émeutiers pillent
les maisons de banque italiennes. Méthodiquement, c'est-
à-dire que si les Florentins et les Génois sont mis à sac, les
gens de Lucques, eux, depuis toujours soutien du duc de
Bourgogne, sont épargnés.

Loin de se calmer les jours suivants, la fureur meur-
trière ne fait que s'amplifier. Le jeune dauphin, regrou-
pant quelques troupes, a tenté une attaque du côté de la
porte Saint-Antoine, mais a dû se replier et finalement a
jugé préférable de passer la Loire pour gagner Bourges ;
la capitale est littéralement livrée au pillage.

Peu à peu les nouvelles, toutes plus terrifiantes les unes
que les autres, de ce qui se passe dans la capitale
parviendront jusqu'à Bourges : un jour quatre cents
morts, un autre jour deux mille, Bernard d'Armagnac
massacré à la conciergerie, les pillages, les tueries qui se
multiplient au petit bonheur, quatre évêques dont trois
des diocèses normands, Lisieux, Evreux, Coutances,
désormais envahis ou menacés, parmi les victimes ; même
les clercs de l'université de Paris ne sont pas épargnés.
Christine n'apprendra pas sans émotion que deux de ses
ennemis de jadis, Gontier Col et Jean de Montreuil, sont
tombés assassinés dans les rues de Paris. Il semble que le
duc de Bourgogne ait lui-même organisé le carnage pour
mieux se ménager par la suite une allure de sauveur.

Effectivement il fera le 14 juillet son entrée dans la
capitale ; précédé de quinze cents archers, suivi de mille
Picards et quinze cents Bourguignons — des lanciers qui
portent l'insigne du fameux rabot — il escorte le « chariot
de la reine » jusqu'au Louvre où elle va retrouver son

malheureux époux Charles VI ; celui-ci ne manque pas de saluer Jean sans Peur : « Mon cousin, soyez le très bien venu ; merci du bien que vous avez fait à la reine. »

Les massacres n'en continueront pas moins quelques jours encore jusqu'au moment où Jean sans Peur, jugeant qu'il est le maître de la situation, et d'ailleurs agacé par les familiarités du bourreau Capeluche, fera à son tour arrêter et exécuter celui-ci. Peu à peu la hache cesse de s'abattre sur le billot. Après le bain de sang, Paris commence à respirer.

Cependant dès le lendemain, en son hôtel d'Artois, Jean sans Peur reçoit une délégation de gens de Rouen : « Seigneur, secourez-nous parce que nous mourons. » Rouen est menacée par l'avance des troupes anglaises qui tiennent déjà toute la Basse-Normandie. Le duc s'en tire par des promesses : celles-ci ne lui ont jamais coûté. Et le 29 juillet 1418 les Anglais commenceront le siège de Rouen. Henri V préside en personne à l'investissement de la place qui va connaître les horreurs de la famine, mais résister six mois avant de se rendre le 2 janvier suivant. Le roi d'Angleterre commence à Rouen la frappe de sa monnaie aux armes de France et d'Angleterre. Cependant, un mois plus tard, trois délégués du duc de Bourgogne, Pierre Cauchon, Pierre de Fontenay et le sire de Chastellux, feront lecture devant l'université et les notables parisiens, des lettres adressées par le roi Henri V et par le duc Jean sans Peur sur la situation du pays et l'on pourra constater que désormais l'Anglais règne sur toute la Normandie, excepté toujours le mont Saint-Michel.

Pour le bon peuple il n'y aurait qu'un remède : que les

princes s'entendent enfin et barrent la route à l'ennemi, à
l'Anglais qui s'installe et instaure en Normandie des
razzias périodiques ; une tentative de soulèvement a eu
lieu à Rouen un mois juste après l'entrée de Henri V,
quand celui-ci s'est présenté le jour de la Chandeleur dans
l'église Notre-Dame pour offrir un cierge selon la coutume du temps, mais le gouverneur Richard Beauchamp,
comte de Warwick, faisait bonne garde ; cinquante bourgeois ont été exilés en Angleterre et Henri tourne ses
armées vers Paris ; le roi et la reine ont abandonné leur
capitale ; ils se sont retirés à Provins avec leur fille
Catherine.

Cependant, une fois de plus, s'ébauche une voie de
conciliation. Jean sans Peur et le dauphin Charles, dit-on,
se sont rencontrés à Pouilly ; ils se sont juré amitié. A
Paris les cloches de Notre-Dame se sont ébranlées et l'on
a chanté le *Te Deum* dàns la cathédrale ; une autre
rencontre est prévue pour le 10 septembre ; amènera-t-
elle cette fois autre chose qu'une « paix fourrée » ?

Le journal des comptes de Bourgogne porte au 10 septembre 1419 la mention suivante : « Mon Seigneur le duc
de Bourgogne accompagné de Charles, monseigneur de
Bourbon, monseigneur de Navailles et plusieurs chevaliers et écuyers ; boire à Bray-sur-Seine (c'est l'étape de
l'après-midi), dîner à Montereau où fault Yonne, auquel
lieu mon dit seigneur fut traîtreusement occis et meurtri,
et ce jour grand desroi (désarroi) pour cause du trépassement de mon dit seigneur. »

Que s'est-il passé ? impossible de connaître exactement
les détails Charles et Jean se sont rencontrés, accompa-

gnés chacun d'une escorte, au milieu du pont jeté sur
l'Yonne à Montereau, vers le soir. Or le duc a prétexté
que le dauphin ne pouvait rien faire sans le consentement
de son père. Il s'en va ou plutôt il s'en allait quand une
rixe a éclaté entre ses gens et ceux du dauphin qui se
sentaient une fois de plus dupés ; certains ont accusé
Tanguy du Châtel d'avoir porté sur le crâne de Jean sans
Peur le coup de hache qui l'abattit, mais personne n'en a
rien su exactement.

Que pouvait à présent écrire Christine, sinon ces
Heures de contemplation sur la passion de Notre-Seigneur
dans lesquelles elle s'efforce de consoler les femmes
endeuillées ? Et bientôt au deuil s'ajoutera la honte, le
traité signé à Troyes le 21 mai de l'année suivante, 1420,
qui déshérite Charles le dauphin et désigne le roi Henri
comme successeur du roi de France ; le fils de Jean sans
Peur, Philippe, duc de Bourgogne, époux de Michelle de
France, va devenir le beau-frère du roi d'Angleterre qui,
lui, épousera Catherine et dont le mariage sera célébré à
Troyes le 2 juin suivant. Plusieurs clercs dont Pierre
Cauchon se sont entremis pour donner forme à des
théories de la double monarchie, les deux couronnes de
France et d'Angleterre sur une seule tête, celle du roi
anglais ; sur son sceau celui-ci s'intitulera désormais
« Henri par la grâce de Dieu roi d'Angleterre, héritier du
royaume de France et seigneur de l'Irlande » ; c'est à ce
titre qu'il fera son entrée dans Paris le 4 juillet 1421 et
recevra les félicitations de l'Université pour ses exploits.

Durant ces jours terribles Christine aura, comme jadis,
cherché refuge en poésie. L'une de ses œuvres lui revient

à l'esprit, toute d'harmonie et de fraîcheur printanière, celle qu'elle avait intitulée : *Le Dit de Poissy*. Elle ne cesse d'en revivre les épisodes ; manière de s'extraire de l'horreur présente :

> *Lors à grand joie*
> *Nous partîmes de Paris*
> *notre voie chevauchâmes*
> *et moult joyeuse estoit (était).*

Toute une aimable compagnie, écuyers et dames, était en effet réuni pour se rendre à Poissy et faire visite à la fille de Christine et à ses compagnes.

> *Le temps nouvel qui alors commençait*
> *Et le soleil clairement reluisait*
> *Sur l'herbe verte.*

Sur le chemin, la terre était fleurie comme une tapisserie de Flandre :

> *Sur les arbres et parmi ses buissons*
> *Les oisillons disaient leur chanson.*

Ils avaient traversé la rivière de Seine, parmi les îles verdoyantes :

> *Chevauchâmes tant que tous, main à main,*
> *Arrivâmes encore assez matin*
> *Au beau château qui a nom Saint-Germain*
> *Qu'on dit en Laye.*

Après la forêt remplie de rossignols, ils s'étaient ensuite dirigés droit sur Poissy :

> *Un tout petit au milieu de l'allée*
> *Et puis allâmes ensemble en l'abbaye*
> *Vers les dames*
> *Au parloir et puis dedans entrâmes...*
> *A donc celle que j'aime moult et tiens chère*
> *Vint devers moi de très humble manière*
> *S'agenouilla et je baisai sa chère (visage)*
> *Doucette et tendre.*

La compagnie se réunit d'abord à l'église pour y entendre la messe; après quoi les religieuses les emmènent « en lieu bel, clair et frais, pour déjeuner ». Alors vient les voir la prieure qui n'est autre que Marie de Bourbon, tante du roi de France. C'était en effet la sœur de la défunte reine, épouse de Charles V. Elle était prieure du couvent des Dominicaines de Poissy depuis près de vingt ans et allait mourir l'année suivante. Son effigie nous a été conservée en dépit de la destruction du monastère à la Révolution, sous la forme d'une très belle statue : l'artiste a tiré un effet admirable du marbre noir dont il a revêtu la silhouette blanche de la religieuse, contraste qui, né du costume même qu'elle portait, fait aujourd'hui un effet saisissant, accentué par la simplicité des lignes qui tombent droites; graves. Le visage, assez rond, sans beauté, mais animé, plein de finesse, Marie ressemblait à sa sœur Jeanne dont nous reste aussi une statue qui probablement orna le portail des Célestins.

Rencontre paisible, pleine de bonté, avec cette « Dame de prix ».

En qui humblesse
A, et bonté et tout sens et noblesse.

Avec elle, autre personnage de sang royal, la jeune princesse Marie : elle n'était alors qu'une fillette, cette Marie de Poissy. Isabeau de Bavière, à sa naissance, l'avait vouée à Dieu, car elle était la première née après la crise de folie du roi ; elle était encore toute « jeune et tendre », puisque lors de cette visite en 1400, elle devait avoir sept ans.

Les religieuses leur avaient servi un repas, vins et viandes, « en vaisseaux d'or et d'argent » — sans y toucher elles-mêmes puisque la règle leur interdisait ces raffinements de table dont elles faisaient profiter leurs hôtes. On leur avait ensuite fait visiter le couvent, son cloître large et spacieux avec, au centre, sur un pré, un beau pin vert et feuillu, le réfectoire éclairé de larges verrières, le cellier, les cuisines, enfin le dortoir et finalement le moûtier « haut voûté, à piliers gracieux ». Tout un ensemble de beauté, d'ornements qu'animent les voix des religieuses chantant l'office dans leur vêtement blanc couvert du manteau noir.

Christine s'était plu à décrire aussi les jardins, le verger entourant le monastère et le clos où vivaient des daims et des chevrettes, les viviers aussi, qui alimentaient en poissons les religieuses pour les temps de carême ou de l'avent. Le soir, tout ce monde s'était retiré dans une

auberge proche et Christine, non sans larmes, avait pris
congé de sa fille.

Chaque épisode de ce *Dit de Poissy* revivait pour elle ; et
peu à peu naissait une résolution : sa vie à elle, Christine,
était finie ; ruinés, les efforts qu'elle avait faits pour
ramener un peu de sagesse en temps voulu dans un
monde en folie. Les quelques années qui lui restaient à
vivre, elle irait dès que possible les passer dans le couvent
de Poissy, auprès de sa fille, parmi ces religieuses qui, à
l'abri des murs et des hautes portes fermées du couvent,
chantaient les louanges de Dieu et priaient pour ce monde
qu'elles avaient quitté. Au temps jadis, n'était-il pas
presque normal de passer ainsi les années de sa vieillesse
dans un monastère, après avoir remis à d'autres le soin
des affaires temporelles ? Christine ferait de même ; elle
aussi pouvait prendre pour devise : « Rien ne m'est
plus. » Même la poésie, qui avait été son recours
suprême, lui semblait à présent futile, dépassée, sans
aucune mesure avec la dureté des temps.

Son fils Jean avait suivi le dauphin au-delà de la Loire ;
peu avant l'entrée des Anglais dans la capitale il avait
épousé Jeanne Lepage, d'une famille de notaires et
secrétaires du roi. Rien ne retenait Christine à Paris ; elle
reprit cette route de Poissy, jadis printanière, pour gagner
ce qu'elle considérait comme l'antichambre du cimetière,
l' « abbaye close » où elle passerait ses dernières années
dans la paix et la prière. Après l'échec de tous ses espoirs,
certaine désormais de ne trouver aucun écho favorable
aux causes pour lesquelles elle avait toute sa vie

combattu, il ne lui restait plus qu'à chercher l'oubli, à attendre la mort.

Curieusement l'année 1422 allait voir la mort des deux princes, le vainqueur et le vaincu. Le premier, de la façon la plus imprévue, meurt de maladie à Vincennes le 31 août 1422, en pleine force, en pleine victoire, alors que la naissance d'un héritier lui promettait tous les espoirs pour cette double couronne qu'il était appelé à porter. Le second, deux mois plus tard, le 21 octobre, voyait s'achever une existence traversée d'épisodes toujours dramatiques, une vie à demi vécue dans la démence, au cours de laquelle s'était consommée la faillite du royaume. Et Christine ne pouvait s'empêcher de penser que, si la mort de Charles VI avait précédé celle de Henri V, celui-ci aurait eu le temps de recevoir à Reims l'onction et le sacre. Elle avait appris que le frère de Henri V, Jean, duc de Bedford, aussitôt nanti du titre de régent de France, avait présidé aux obsèques de Charles le 2 novembre, aucun prince français d'ailleurs n'avait escorté le cercueil et Philippe le Bon lui-même n'avait pas voulu se présenter : lequel aurait eu la préséance, de lui ou de Bedford ? Une fois de plus les clercs de l'Université et le Parlement de Paris avaient pris en main la situation pour assurer les obsèques et aussi faire proclamer : « Dieu donne bonne vie à Henri, roi de France et d'Angleterre, notre souverain seigneur. » Le dauphin pourtant est demeuré à Bourges où il se trouve pour quelque temps encore à l'abri ; ici et là on entend parler des biens que Bedford attribue à ses familiers qui se servent sur les fidèles du roi de France, Jean Jouvenel des

Ursins par exemple, qui s'est enfui de Paris. Il est visible que dès qu'il aura l'âge, Bedford fera sacrer le petit Henri VI et qu'ainsi la question sera tranchée aux yeux des Français, de celui qui doit régner sur la France.

Christine se trouve alors proche de Marie, fille de Charles VI, religieuse exemplaire, qui cherche aussi dans la prière la seule clarté possible en ces temps d'indicible confusion. Que peut faire une femme sinon se taire et prier ? Les seules nouvelles qui parviennent désormais, ce sont celles des combats : coups de mains de ceux qu'en Normandie on nomme les *brigands*, mais qui pour la plupart sont des gens qui résistent aux armes anglaises ; sur le champ de bataille on voit un peu partout triompher la bannière écartelée aux armes de France et d'Angleterre où les léopards le disputent au lys ; à Verneuil c'est leur triomphe. Quant à Paris, Bedford y règne, bien servi par le Parlement et l'Université.

A Bourges, que fait le dauphin ? il avait épousé — à dix ans en 1413 — la douce Marie d'Anjou, fille de la reine de Sicile Yolande. Il a pris le titre de roi de France, mais il n'est pas question pour lui de se rendre à Reims et d'y recevoir le sacre qui aux yeux du peuple en ferait un roi. Reims est inaccessible, et Christine n'a pas appris sans un serrement de cœur l'offensive sur Montaiguillon, le beau château aux portes de Champagne, et sur Sézanne, menée par qui ? par Thomas Montague, jadis compagnon de son fils, le comte de Salisbury, rentré en grâce auprès de son souverain plusieurs années auparavant. Et c'est bientôt un autre deuil pour elle : elle apprend, en 1426, la mort de son fils Jean. Il laissait, lui aussi, une veuve énergi-

que [1] et trois enfants, dont l'un — un autre Jean Castel —
semble avoir hérité des dons de Christine car, devenu
abbé de Saint-Maur des Fossés, il devait être chroniqueur
de la Maison de France sous Louis XI. Mais il est peu
probable que Christine ait pu connaître ses petits-enfants,
séparés qu'ils étaient en ces années terribles.

Quelque temps encore, et de nouveau Salisbury fera
parler de lui lorsqu'il viendra s'attaquer à Orléans, clef de
la Loire.

---

1. Charles Samaran a pu reconstituer son existence, bien typique de
ces temps d'occupation, car, ayant voulu retourner auprès de sa
famille, la veuve de Jean Castel se rendit successivement suspecte aux
Français et aux Anglais et fut par deux fois emprisonnée avant d'être
graciée par Charles VII. (*Notes sur Jean Castel, chroniqueur de France*,
dans *Mélanges Antoine Thomas*, Paris 1925.)

CHAPITRE VII

LA VISION DERNIÈRE

L'an mil quatre cent vingt et neuf
Reprit à luire le soleil

O NZE années se sont écoulées : long hivernage
pour Christine, passé en « l'abbaye close » de
Saint-Louis de Poissy ; onze années de deuil
durant lesquelles Fortune aura foulé aux pieds inexora-
blement le sol de France, la tige royale, le peuple dans sa
vie quotidienne ; onze ans de pillages, de déprédations, de
souffrance sans espoir ; onze ans de silence pour Christine. Comment faire entendre le langage de Poésie dans
un pays désormais livré à l'ennemi, arraché à lui-même ?
Tout est ruine autour d'elle : le royaume, ce pays qu'elle
aura passionnément aimé, sa propre famille dont tous les
membres sont morts l'un après l'autre. Seule sa fille est
là, elle qui a choisi l'unique voie désormais ouverte : celle
de la prière. Et Christine à son image passe son existence
dans la prière. Aussi bien durant cette période a-t-elle

composé les *Heures de contemplation sur la Passion de Notre-Seigneur* qui ne sont pas œuvre littéraire, mais œuvre de prière, d'union au Christ dans sa souffrance — ultime recours en ce calvaire où Christine peu à peu vieillit et sent approcher la mort dans un abandon, un renoncement progressif à tout ce qui avait été la joie de son existence. Suivre le Seigneur au Calvaire... Cette voie où sa fille l'a précédée est la seule qu'elle doive suivre désormais. Jusqu'à la mort qu'elle sent proche.

Et voilà qu'un jour, soudaine, inattendue, éclate une nouvelle qui vient tout illuminer.

Christine tout d'abord n'a pas osé y croire ; ce siège d'Orléans qui devait porter le dernier coup au petit roi retranché de l'autre côté de la Loire, ce siège qui ajoutait à l'hiver de guerre un hiver d'angoisse, contraignant les habitants de la cité à connaître bientôt les horreurs qui avaient été endurées onze ans plus tôt à Rouen, celles de la famine, de l'encerclement progressif, et des sorties tentées, invariablement vouées à l'échec ; ce siège qui laissait pressentir la victoire définitive de l'ennemi, avait eu tout à coup le dénouement auquel personne n'aurait pu s'attendre.

A repasser l'un après l'autre les événements, Christine pouvait se demander si elle ne vivait pas une sorte de rêve

> ... *Jamais parler*
> *N'ouïmes de si grand merveille.*

Les premières rumeurs parvenues jusqu'à Poissy, les mêmes qu'on se colportait de bouche en bouche à travers

le pays, n'étaient pas de celles auxquelles on peut croire
facilement : une jeune fille, une simple pucelle, venue de
loin, des marches de Lorraine, aurait passé par la ville de
Gien, affirmant qu'elle apportait au dauphin renié, rejeté,
méprisé, le secours de Dieu... Des racontars ?

Mais il y avait eu Orléans. Là le doute n'était plus
possible ; l'incroyable avait eu lieu.

> *Oh ! combien lors il y parut*
> *Quand fut le siège à Orléans,*
> *Où d'abord sa force apparut ;*
> *Jamais miracle, comme je tiens (crois),*
> *Ne fut plus clair : car Dieu aux siens*
> *Aida tellement qu'ennemis*
> *Ne s'aidèrent plus que morts chiens ;*
> *Là furent pris ou à mort mis.*

Ce siège d'Orléans, il avait été terminé de la façon
rapide, décisive, éblouissante qu'avaient pris dès lors les
événements : il durait depuis le 28 octobre précédent,
Jeanne la Pucelle y était arrivée le vendredi 29 avril au
soir et, le dimanche 8 mai, au matin, l'armée anglaise se
retirait. Orléans était libérée !

Le saisissement qu'en avaient éprouvé les ennemis, on
le constatait depuis cette date ; pour Christine même,
dans sa retraite lointaine, cachée dans la solitude de
Poissy, mille détails le faisaient sentir ; au monastère où se
trouvait toujours Marie, la sœur de Charles VII devenue
prieure, on imagine avec quelle anxiété étaient perçus les
bruits du dehors ; sur les routes, au village, les convois
armés qui passaient n'avaient plus l'allure arrogante et

sûre qu'ils affectaient quelques semaines auparavant ;
quant aux gens du pays, ils s'abordaient le visage éclairé ;
des groupes se faisaient et se défaisaient mystérieuse-
ment, personne n'osant clamer ouvertement sa joie ; mais
les nouvelles cheminaient plus vite que jamais à travers
bourgs et campagnes. Les hérauts officiels avaient dû
eux-mêmes crier la nouvelle que le greffier Clément de
Fauquembergue avait enregistrée le 10 mai sur le registre
officiel du Parlement de Paris : « Dimanche dernier passé
les gens du dauphin en grand nombre, après plusieurs
assauts continuellement entretenus par force d'armes,
sont entrés dedans la Bastide que tenait Guillaume
Glasdale et autres capitaines et gens d'armes anglais de
par le roi (Henri VI) avec la tour de l'issue du pont
d'Orléans par-delà la Loire ; ce jour les capitaines et gens
d'armes tenant le siège sont partis... et ont levé le siège
pour combattre les ennemis qui avaient en leur compagnie une pucelle seule ayant bannière. »

Cette pucelle, instrument divin, avait donc fait lever le
siège d'Orléans ; elle avait réussi là où n'avait pas réussi le
Bâtard d'Orléans, Jean, frère naturel de Charles, qui
défendait la ville de son demi-frère. Un combattant
valeureux pourtant, ce Bâtard ! N'avait-il pas réussi l'un
des rares exploits à l'actif des armées françaises ces
dernières années ? Deux ans plus tôt, il avait chassé les
Anglais de Montargis. Mais à Orléans sa valeur s'était
trouvée en défaut ; il avait même été blessé à la jambe lors
d'une sortie malencontreuse où s'étaient fait battre aussi
bien Charles de Bourbon, envoyé par le dauphin en
renfort, que les Ecossais qui ce jour-là étaient restés sur le

terrain, John Stuart et sa compagnie, quelque quatre cents hommes qu'il conduisait aidé de son frère Guillaume, et qui avaient été dispersés, taillés en pièces honteusement par un simple convoi de ravitaillement. Ce jour-là, où les Français s'étaient ridiculisés, demeurait sujet de plaisanterie ; on parlait de la « bataille des harengs » parce que le convoi était formé surtout de barils de harengs que les anglais amenaient dans leurs bastides en ce temps de carême. Cela s'était passé le 12 février 1429 et dès lors les habitants d'Orléans avaient perdu tout courage — jusqu'à l'arrivée inespérée de cette Pucelle venue « de par Dieu », personne n'en doutait chez eux !

> *Toi Jeanne, de bon(ne) heure née*
> *Béni soit Cil (Celui) qui te créa !*
> *Pucelle de Dieu ordonnée*
> *En qui le Saint-Esprit versa*
> *Sa grand(e) grâce et qui eut et a*
> *Toute largesse de haut don.*

Le sort de la France se sera joué autour d'Orléans, de cette ville — pont qui joint les deux parties du royaume, langue d'oïl et langue d'oc. Une fois Orléans vaincu, leur passage assuré, les Anglais avaient beau jeu de se diriger vers Bourges, puis de joindre leur domaine de Guyenne où ils opéraient leur jonction avec les troupes levées en Gascogne qu'ils pouvaient concentrer à Bordeaux. Tout Français, qu'il soit fidèle ou « renié », en était conscient, lorsque Salisbury était venu entreprendre le siège ; le nom de ce capitaine qui avait passé une partie de son enfance

avec son fils résonnait douloureusement pour Christine ;
mais Salisbury s'était déconsidéré en pillant le sanctuaire
de Notre-Dame de Cléry et en acceptant aussi de
s'attaquer à une ville dont le duc était prisonnier en
Angleterre. Le boulet qui l'a frappé au moment où il
examinait les murailles d'Orléans, chacun l'a considéré
comme un châtiment mérité. Mais Orléans n'en avait pas
moins été investi et Glasdale, que le bon peuple appelait
Classidas, n'était guère moins expert à conduire un siège,
il l'avait prouvé. Et c'était une simple fille qui l'avait
vaincu ! celle qu'il avait injuriée grossièrement, les rires
de la soldatesque lui faisant écho ! Ce qu'on venait de
vivre à Orléans, ce siège levé par la « pucelle bienheurée »
en moins de huit jours, alors qu'il traînait depuis sept
mois, cette main si visiblement tendue par Dieu à son
peuple comme aux temps bibliques — c'était l'événement
extraordinaire à vivre s'il en fut. Pour une fois, Christine,
si prompte à chercher dans le passé de grands exemples
pour le présent, se trouvait déconcertée. Elle évoquait
Moïse tirant « le peuple d'Israël hors d'Egypte » ou
encore « les combats de Josué » : mais c'était un homme
« fort et puissant ». Ou ceux de Gédéon. Mais ces
combats, quels qu'ils fussent, n'atteignaient pas l'éclat
des victoires remportées par cette simple fille qu'on
pouvait comparer à Esther, à Judith ou à Déborah « qui
furent dames de grand prix ». Dieu, il fallait le reconnaître, « plus a fait par cette pucelle ».

Christine a décidé de reprendre la plume lorsqu'elle a
su que le roi Charles avait été couronné à Reims, que le
dauphin de Bourges était devenu le roi Charles VII. Onze

années de silence, mais aujourd'hui les strophes se pressent à nouveau sous sa plume. Elle retrouve toute sa facilité d'antan pour narrer l'exploit que nul n'attendait et qu'elle voit s'accomplir :

> *Plus de rien je ne me deuille*
> *Quant ores vois ce que je veux.*

Elle écrira ainsi d'affilée cinquante-six strophes, quatre cent quarante-huit vers pleins d'émotion et d'enthousiasme ; on a l'impression qu'elle n'a eu qu'à laisser courir la plume. Elle en avait trop à dire, et cela ne pouvait être dit qu'en vers, Jeanne la Pucelle a été envoyée par Dieu au roi ; « à l'effet la chose est prouvée ». Ensuite, elle :

> *... A bien été examinée*
> *Avant que l'on l'ait voulu croire*
> *Devant clercs et sages menée*
> *Pour rechercher si chose voire (vraie)*
> *Disait, avant qu'il fut notoire*
> *Que Dieu l'eut vers le roi transmise.*

C'était rappeler comment Jeanne avait été soumise aux jugements de clercs, docteurs et théologiens de l'Eglise à Poitiers, plusieurs en effet parmi ceux des universitaires qui étaient demeurés fidèles au roi s'étaient regroupés dans cette ville où une université allait recommencer à fonctionner peu après les événements. Pendant trois semaines ils avaient examiné cette fille, la mettant à l'épreuve pour savoir s'ils avaient affaire à une illuminée, ou une simple folle. Et finalement Jeanne était sortie

triomphante de cet examen auquel elle ne se soumettait
pas sans quelque mauvaise grâce, trouvant qu'il la
retardait dans la mission pour laquelle elle était envoyée :
« Envoyez-moi à Orléans et je vous montrerai le signe
pour lequel j'ai été envoyée. » Les théologiens, faute de
mieux, avaient conclu de ses réponses, de l'ensemble de
sa conduite discrètement examinée, de l'examen de
virginité aussi, fait par deux matrones désignées par la
belle-mère du roi Yolande de Sicile, qu'il n'y avait « rien
de mal en elle ». Elle était bien pucelle, fille simple, mais
dont les réponses dénotaient une piété véritable et
éclairée, tout comme sa personne et sa conduite.

> *Quoi qu'elle fasse*
> *Toujours a Dieu devant la face*
> *Qu'elle appelle et sert et prie.*

De toute façon, au point où en étaient les choses, le roi
pouvait donc user d'elle et lui donner les moyens d'agir.

Après Orléans, elle avait insisté pour que le roi aille
recevoir sa couronne à Reims comme ses ancêtres. C'est
l'onction qui fait le roi. Christine a vu un autre sacre,
celui de Charles VI encore enfant ; elle sait qu'en maintes
circonstances les guerres anglaises ont tenté d'empêcher
semblable couronnement ; le roi dont elle a raconté la vie,
Charles V, n'avait pu être lui-même couronné que grâce à
la victoire du gentilhomme breton du Guesclin arrêtant à
Cocherel l'armée anglaise qui tentait de lui barrer la
route. Gagner Reims l'an 1429 semble une gageure
impossible : les Anglais tiennent le pays et, là où ils sont

moins nombreux, il y a les Bourguignons ou les « rebelles ruppieux », ceux qui ont préféré s'entendre avec l'ennemi. Mais voilà :

> *Une fillette de seize ans*
> *(N'est-ce pas chose hors nature ?)*
> *A qui armes ne sont pesants...*
> *Et devant elle vont fuyants*
> *Les ennemis, que nul n'y dure.*
> *Elle fait ce, maints yeux voyant.*

Dans son poème Christine célèbre surtout le couronnement. Elle s'étend sur l'extraordinaire chevauchée qui a conduit le dauphin d'Auxerre à Reims « en recouvrant châteaux et villes » après avoir à Patay détruit l'armée anglaise (« Matés êtes sur l'échiquier »); pour elle, comme d'ailleurs pour tout le peuple de France, c'est ce couronnement du roi légitime qui marque le sommet de la mission de Jeanne :

> *C'est que le déjeté enfant*
> *Du roi de France légitime*
> *Qui longtemps a été souffrant*
> *Maints grands ennuis...*
> *Vienne comme roi couronné*
> *En puissance très grande et fine,*
> *D'éperons d'or éperonné.*

Pour tous, cette désignation du roi légitime met fin à une longue période de vacance du trône et de confusion quant au droit de celui qui peut l'occuper. Pour Christine, il y a une raison supplémentaire. Dans son *Livre des faits du roi Charles V*, elle s'est longuement penchée sur le *Testament spirituel* de ce prince ; selon une relation détaillée de ses derniers moments qu'elle avait eue entre les mains, Charles V en effet aurait, au matin de sa mort, le 16 septembre 1380, fait apporter deux couronnes : la relique de la sainte Couronne d'épines que détenait l'évêque de Paris, et celle qui servait au sacre des rois de France, conservée à l'abbaye de Saint-Denis où tradition-nellement, on le sait, avait lieu un second couronnement après celui de Reims ; il les avait fait placer l'une et l'autre devant lui, et d'abord avait salué la couronne d'épines : « Oh ! couronne précieuse ! diadème de notre salut... » ; puis, se tournant vers la couronne du sacre : « Et toi, couronne de France, combien tu es précieuse, et aussi combien tu es vile... si l'on réfléchit aux fardeaux, aux fatigues, aux angoisses... que tu imposes à celui qui ne saurait te porter sans fléchir sous ton poids... »

Cette méditation sur les deux couronnes, faite par le roi au moment même de sa mort, avait pu par la suite prendre un sens détourné — celui que lui donnait l'université de Paris plaçant deux couronnes d'ordre temporel sur la tête d'un même roi, le roi d'Angleterre, comme le décidait le traité de Troyes. Et voilà qu'aujour-d'hui, après avoir, pendant sept ans, porté la seule couronne d'épines, le dauphin se trouvait couronné d'or dans des conditions qui ébahissaient l'univers entier.

> *Oh ! Quel honneur a la couronne*
> *De France par divine preuve !*
> *Qui vit donc chose advenir*

Plus hors de toute opinion...
Chose est bien digne de mémoire
Que Dieu par une vierge tendre
Ait dès lors voulu (chose est voire)
Sur France si grand grâce étendre.

Et le poème revient inlassablement sur ce moment entre tous glorieux :

A très grand triomphe et puissance
Fut Charles couronné à Reims
L'an mille quatre cent sans doutance
Et vingt-neuf, tout sauf et sain,
Avec de ses barons maints
Droit au dix-septième jour
De juillet pour plus et pour moins
Et là fut cinq jours à séjour.

Elle ne manque pas d'ajouter à la strophe suivante :

Avec lui fut la Pucelle.

Jamais Fortune n'aura tourné sa roue de façon aussi étonnante :

Oyez par tout l'univers monde
Chose sur toutes merveillable.

La joie de Christine, on la sent totale en cette fin de juillet, après l'incomparable printemps qu'elle vient de vivre, en elle se trouvent comblés le poète et l'historien à la fois, elle qui a réalisé sa vocation en puisant dans l'histoire, en exprimant dans ses vers ce qu'elle en ressentait — voilà qu'il lui revient de dire en vers une aventure historique dont elle est le témoin. Et qui doit être aussitôt contée, car « il n'est homme qui la pût croire ». Après cette longue période d'amertume sans nom, ceux qui au fond d'eux-mêmes avaient gardé quelque espoir reçoivent bien au-delà de tout ce qu'ils auraient souhaité.

Et qui donc plus qu'elle y trouve des raisons de se réjouir ? Car ce retournement d'une situation sans issue qui a fait crier « Noël ! » aux gens de Reims et aujourd'hui à tous ceux qui se précipitent sur le parcours du roi couronné :

> *C'est par la pucelle sensible,*
> *Dieu merci, qui y a œuvré.*

Qui donc est l'artisan de cette victoire inespérée ? Non un homme d'armes chevronné comme le petit Breton du temps de Charles V, ou pas même ce bâtard de la famille d'Orléans qu'est Jean, frère naturel du duc Charles. Une femme, une simple fille, celle que l'on ne connaît que sous ce nom de : Jeanne la Pucelle qu'elle se donne, une fille du peuple :

> *Voici femme, simple bergère,*
> *Plus preux qu'onc homme fut à Rome.*

Pour Christine, qui a passé une partie de son existence à tenter de convaincre ses contemporains qu'ils avaient

tort de mépriser la femme, qu'il y a en elle des ressources
indispensables au bon équilibre de la société, que ce
monde masculin que représentent Parlements ou Universités ne saurait suffire dans la conduite du royaume,
quelle justification ! Elle a toujours vanté le courage
comme vertu féminine, exalté avec force exemples à
l'appui ce que peut faire le courage d'une femme, montré
que « fort et hardi cœur » peut être aussi l'apanage des
femmes et qu'elles en ont besoin dans leur vie quotidienne lorsqu'elles se trouvent seules ; et, entre tous
exemples, voilà qu'elle-même est en train de vivre le plus
éclatant qui soit : cette pucelle « en qui cœur plus que
d'homme a mis ». Dieu lui a donné en effet plus de
vaillance qu'à tous les hommes dont elle est entourée,
qu'elle-même a rassemblés, galvanisés par son propre
courage, et sans cesse incités à reprendre espoir.

Or Jeanne est, par excellence, cette femme seule ; une
pucelle, c'est-à-dire une vierge, totalement exempte des
faiblesses qui ont peu à peu déconsidéré et ruiné le
prestige de la reine. Face à Isabeau qui n'a su qu'hésiter,
que louvoyer, porter sa faveur tantôt à l'un, tantôt à
l'autre des partenaires qui s'opposaient, elle est seule,
unique, résolue ; elle représente infiniment plus que
Sémiramis ; elle est le trésor même de la *Cité des Dames*.
Au milieu d'une soldatesque sans retenue elle s'impose
par sa pureté ; et elle peut exiger des autres cette rectitude
dont elle témoigne par elle-même, car elle ne s'épargne
aucunement, combattant à l'avant-garde ou protégeant
l'arrière-garde, suivant que l'action se déroule de front ou
à l'arrière.

Ainsi les « faits d'armes et de chevalerie » auxquels Christine a consacré naguère tout un volume, trouvent en son temps le chapitre nouveau, l'illustration complètement inédite : une femme en qui s'incarne la valeur des chevaliers de jadis et qui est elle-même à la fois le Chevalier et la Dame. Cela, aucune annale, aucune chronique n'en fournit l'exemple.

> *Hé ! Quel honneur au féminin*
> *Sexe que Dieu aime...*

Ce royaume dévasté, « mis à désert » voilà que par miracle une femme le recouvre « ce que pas hommes fait n'eussent » — ce qu'aucun homme n'aurait fait ! Le salut apporté par une femme... Quel camouflet pour ces universitaires qui jadis s'attaquaient à elle, Christine, et affectaient de ne pas même lui répondre directement — leur grandeur ne pouvant s'abaisser jusqu'à discuter avec « une femmelette ».

Du reste, quelques-uns d'entre eux ont déjà dressé l'oreille à la nouvelle des victoires de Jeanne. Les maîtres demeurés à Paris — des créatures de Bedford, des « Français reniés » — veulent, dit-on, déléguer quelques-uns d'entre eux au pape pour la dénoncer comme hérétique et sorcière ! Ils ne peuvent admettre qu'une simple femme ou fille vienne contrecarrer l'édifice des deux couronnes que l'université a prévu de mettre sur la tête du roi d'Angleterre !

> *N'apercevez-vous, gens aveugles,*
> *Que Dieu a ici la main mise ?*

Ceux-là veulent devenir « serfs » des Anglais !
Voulez-vous contre Dieu combattre ?

Christine, en écrivant son poème, a un instant le pressentiment que là seront les ennemis les plus difficiles à vaincre, ceux qui ne veulent pas en démordre, qui n'admettront jamais s'être trompés, (il y va d'ailleurs de leurs prébendes — car ils sont largement servis par le roi d'Angleterre — peut-être de leurs vies).

Un point d'interrogation reste d'ailleurs, et Christine le pose vers la fin de son poème. Certes, depuis son couronnement, le roi, partout où il se rend dans son royaume, voit s'ouvrir les portes des villes :

> *En retournant par son pays*
> *Cité ni château ni villette,*
> *Ne demeurent : aimé ou haï*
> *Qu'il soit, que soient ébahis*
> *Ou rassurés, les habitants*
> *Se rendent...*

Mais reste la grande question : Paris ?

> *Ne sais si Paris se tiendra,*
> *Car encore n'y sont-ils mie (pas)*
> *Ni si la pucelle atteindra...*
> *S'ils résistent heure ou demie.*

Paris a été placé sous le gouvernement du duc de Bourgogne ; Bedford a eu l'habileté de s'effacer ainsi devant un Français depuis qu'on craint une offensive sur la capitale. Aura-t-elle lieu ? Les habitants vont-ils résister ? Ouvriront-ils comme les autres cités du royaume leurs portes au roi couronné ?

> *Oh ! Paris très mal conseillé !*
> *Fols habitants sans confiance !*

En fait Christine se pose sans doute alors la question que chacun se pose en ce royaume : puisqu'il est couronné, puisque autour de lui se rallient toutes les énergies, que l'armée du sacre se renforce sans cesse, pourquoi le roi tarde-t-il à se présenter devant Paris ? « Charles retarde tant qu'il peut » ; peut-être pour ne pas répandre le sang, ce dont il a horreur ; la pucelle ne peut que lui conseiller de pardonner d'avance à ceux qui l'ont trahi, mais le roi semble plongé une fois de plus dans l'indécision. Alors que, sur les conseils de Jeanne, la voie qu'il a suivie vers Reims a été droite comme flèche, il semble à présent louvoyer ; on le voit à Crépy-en-Valois après être allé à Soissons, Château-Thierry, La Ferté-Milon ; on annonce qu'il va se rendre à Compiègne où les habitants lui promettent obéissance. Que ne se dirige-t-il droit vers Paris qui reste la tête du royaume ? Christine, pas plus que Jeanne elle-même, ne se doute alors des accords secrets, de l'absurde trêve de quinze jours signée par Charles avec les émissaires du duc de Bourgogne au jour même de son sacre ; son poème s'achève sur une note d'espoir et de prière :

> *... Et puis ordonner*
> *Veuillez vos cœurs et vous donner*

Come loyaux français à lui...
Je prie Dieu qu'il mette en courage
A vous tous qu'ainsi le fassiez
Afin que le conseil et rage
De ces guerres soient effacés
Et que votre vie passiez
En paix sous votre chef Seigneur.

Que de joie en ce printemps nouveau où les vœux de Christine se trouvent non seulement comblés, mais dépassés de loin par la suite d'événements merveilleux dont elle est témoin.

Elle n'est d'ailleurs pas seule à prendre la plume en cette occasion. Voilà que lui parvient, comme un écho de temps déjà lointains, la voix de Gerson. C'est Jean Gerson qui lui aussi célèbre la victoire de Jeanne ; il a même en cela précédé Christine, car, au lendemain de la libération d'Orléans, le 14 mai 1429, à la veille de la Pentecôte, il a composé un traité pour célébrer sa victoire et proclamer que tout dans l'action de Jeanne porte le caractère d'une mission divine : « Vers les fils de ce royaume s'avance une pucelle... elle se dit envoyée de Dieu pour conseiller l'autorité royale jusqu'à ce que tout le pays soit ramené sous son obéissance... elle vit dans la chasteté, la tempérance et la modération ; elle est fidèle à Dieu, interdisant les massacres, rapines et autres violences à tous ceux qui sont rangés sous son obéissance. A cause de tout cela les

habitants des villes, les châteaux et les camps, se soumet-
tent à la direction de cette fille ; ils lui ont promis
fidélité. » Et d'écarter à l'avance les accusations que
formulent dès lors quelques universitaires : « Dois-je
croire que c'est une véritable jeune fille revêtue de la
nature humaine ou quelque figure semblable obtenue par
une transformation fantastique ?... Dois-je ajouter foi à sa
parole et son œuvre doit-elle être appréciée comme venant
d'une inspiration divine ou regardée comme magique et
illusoire ?... Le présent traité apporte comme un tribut
ma part de recherche dans l'examen de ces matières... »
Et de citer lui aussi, comme l'a fait Christine, les
exemples bibliques : Esther, Judith et Déborah ; il en
ajoute une autre : sainte Catherine triomphant des docteurs d'Alexandrie qui l'interrogeaient.

Des docteurs ont interrogé Jeanne ; et malheureuse-
ment Jean Gerson n'était pas parmi eux. Comme Christine il avait fui Paris à l'arrivée des Anglais ; plus
exactement, il n'y était pas retourné après le concile de
Constance, apprenant que la nation picarde, au sein de
l'Université, avait émis le vœu qu'il soit désavoué et puni
pour ne s'être pas rallié plus tôt au duc de Bourgogne. Sur
le registre de l'université parisienne, à la date du 6 juillet
1418, est consignée l'absence du chancelier Jean Gerson,
ainsi que celle d'un chanoine de Paris, Gérard Machet,
qu'on retrouve à Poitiers où il devient le confesseur de
Charles VII. Gerson, lui, n'a pas regagné Poitiers où
s'étaient rassemblés ceux qui demeuraient fidèles au roi
légitime ; il a séjourné d'abord quelque temps à l'abbaye
bénédictine de Melk en Autriche ; il a résidé ensuite, sur

l'invitation de l'archiduc d'Autriche, à Vienne; puis, après la mort de Jean sans Peur, il est rentré en France, mais, sachant Paris livré aux Bourguignons, s'est dirigé vers Lyon où vivait l'un de ses frères, prieur du couvent des Célestins de la ville. C'est là qu'il a vécu ses dix dernières années, prêchant et se plaisant à enseigner les petits enfants dans l'église Saint-Paul. Gerson d'ailleurs n'a pas vu le triomphe de Jeanne; il est mort le 12 juillet de cette année qui vit « luire le soleil »; le traité qu'il a composé pour célébrer la Pucelle et déjà la défendre contre des ennemis qui se dessinent dans le clan des universitaires, est le dernier qu'il ait écrit.

Christine a dû le recevoir en même temps qu'elle apprenait sa mort. Ainsi cet ami intrépide qui l'a soutenue envers et contre tous soutient aussi la cause de Jeanne; il fait même entendre un avertissement solennel : que le parti qui a juste cause prenne garde de rendre inutile, par incrédulité ou par ingratitude, le secours divin qui s'est manifesté si miraculeusement.

Ce que Christine ne sait pas, c'est qu'au moment même où elle compose son *Ditié*, un autre poète célèbre Jeanne la Pucelle : Alain Chartier qui, plus jeune qu'elle d'une vingtaine d'années, est demeuré dans l'entourage royal. En ce même mois de juillet 1429, il écrit une lettre (à l'adresse de l'empereur d'Allemagne ? Ou du duc de Savoie ? On ne sait) dans laquelle chaleureusement il exalte Jeanne lui aussi : « La Pucelle est amenée à cet examen (il s'agit de celui de Poitiers) comme au combat; parmi ces hommes très savants elle a été interrogée encore et encore sur toutes sortes de questions ardues, tant humaines que divines; elle ne répond rien qui ne soit admirable et digne de louange, comme si, au lieu de garder les troupeaux aux champs, elle avait été aux écoles et formée aux lettres... » Il a noté qu'après l'avoir vue seul à seul à Chinon, le roi « a été rempli comme par l'Esprit d'un zèle non médiocre ». Et pour terminer sa lettre devient un véritable poème en prose : « La voilà, dit-il, parlant de Jeanne, celle qui ne semble pas être venue de quelque point du monde, mais avoir été envoyée du ciel pour soutenir de la tête et des épaules la Gaule abattue à terre, celle qui a amené au port et au rivage le roi tenant au milieu du vaste gouffre des orages et des tempêtes et qui a amené les esprits à espérer des temps meilleurs; celle qui, en réprimant la férocité anglaise, a stimulé l'audace gauloise; qui a arrêté la ruine de la Gaule; qui de la Gaule a éteint l'incendie. Ô vierge singulière, digne de toute gloire, de toute louange, des honneurs divins, tu es la grandeur du royaume, tu es la lumière du lys, tu es la clarté, tu es la gloire non seulement des Français, mais de tous les chrétiens. » Et, invoquant les chefs de guerre de l'antiquité, il conclut : « La Gaule, même si elle a bien des noms anciens à citer, s'est satisfaite pourtant de cette seule pucelle et osera se glorifier et se comparer à toutes les autres nations quant à la louange de guerre, et s'il le faut, les surpasser toutes. »

Si elle n'a pu connaître la teneur de cette lettre, bien digne de l'incomparable poète, l'auteur de la *Belle Dame sans merci*, Christine avait peut-être connu tout au moins le poème qu'il avait cinq ou six ans auparavant intitulé *L'Espérance*; en dépit de la sombre période que traversait

alors le pays, ce poème, prose et vers alternés, se
terminait sur une vision prémonitoire : « Cette Dame
Espérance, disait-il, avait la face riante et joyeuse, le
regard haut, la parole agréable » ; elle promettait à ceux
qui la suivaient :

> *D'avoir joie après la plainte*
> *Et d'atteindre à grande atteinte*
> *Quand le temps serait venu.*

Dans la déroute générale, face aux hommes d'armes et
aux hommes de loi, n'y aurait-il eu, pour voir clair, que
les poètes ? Et la fillette qui semblait échappée des rangs
de ces enfants qui se rendaient au mont Saint-Michel en
pèlerinage ?

A la fin de son *Ditié* Christine tentait d'imaginer ce que
pourrait être l'avenir de la France et de son roi après ce
couronnement qui défiait toute attente humaine ; elle
s'adressait à celui qui jusqu'alors rejeté et bafoué, s'était
vu si étonnamment restituer son droit au royaume :

> *Et toi Charles, roi des Français,*
> *Septième d'icelui haut nom...*
> *Par Dieu grâce, or vois ton renom*
> *Haut élevé par la Pucelle*
> *Qui a soumis sous ton pennon*
> *Tes ennemis : chose est nouvelle.*

Elle ne peut douter qu'une grande destinée attende
celui qui a été l'objet d'un choix aussi surprenant :

Charles, fils de Charles nommé,
Qui sur tout roi sera grand maître...
Et enfin doit être empereur.

Faisant allusion à diverses prophéties, elle rappelle
qu'il est surnommé le « cerf-ailé » (ou cerf-volant);
effectivement Charles VII plus tard prendra pour
emblème ce cerf-ailé, et de même son fils en fera le
support des armes royales. Christine à vrai dire voyait
davantage, et pour elle cet emblème signifiait mieux
encore :

Et j'ai espoir que bon seras
Droiturier, et aimant justice...
A ton peuple doux et propice
Et craignant Dieu qui t'a élu.

Comment en serait-il autrement :

Quand la très sainte Providence
T'a fait de si grands honneurs dignes ?

Quant à Jeanne, Christine en est sûre, elle poursuivra
son œuvre :

Et sachez que par elle Anglais
Seront mis (à) bas sans relever.

Elle compte aussi sur son action et son influence :

En chrétienté et en église
Sera par elle mis concorde.

Quant à elle-même, elle sera honorée plus que tous les autres preux et pourra certainement continuer ses prouesses jusqu'au moment où une paix ferme sera établie.

On ne sait au juste la date de la mort de Christine ; tout au plus est-on certain que le *Ditié* dans lequel elle célébrait Jeanne a été sa dernière œuvre ; on suppose que, comme pour Jean Gerson, cette œuvre précéda de peu sa mort.

C'est en tout cas ce qu'on peut souhaiter. L'épopée si étonnante de Jeanne venait combler si expressément les vœux de Christine — ou plutôt, allait tellement au-delà de tout ce qu'elle avait pu prévoir et souhaiter elle-même — qu'on peut espérer qu'elle a disparu ainsi en pleine apothéose.

Vision glorieuse qu'elle aurait pu évoquer comme dans ses ouvrages auxquels, à deux reprises, elle avait donné le titre de *Vision ou Avision* :

Au moment où le pays entier s'abandonnait, ou de toutes parts l'horizon restait bouché et l'espoir interdit, d'un seul coup, de la façon la plus imprévisible qui fût, tous nuages soudain dissipés, le soleil s'était remis à luire et de façon telle que les images les plus classiques pâlissaient pour l'exprimer ; or, qui était l'artisan ou du moins l'instrument de cette résurrection inattendue ? une femme, une jeune fille. Et qui répondait pleinement aux souhaits de Christine, ayant « comme courage d'homme » et encore : sachant « avoir cœur d'homme... savoir les droits d'armes et toutes choses qui y conviennent, afin qu'elle soit prête d'ordonner ses hommes et, si besoin est, elle sache faire pour assaillir ou pour défendre ». Jeanne est pour la *Cité des Dames* l'illustration par excellence, celle que Christine elle-même ne pouvait prévoir. Elle porte toutes les marques que Christine souhaitait pour celles entre les femmes qui devaient agir ; et d'abord cette perfection intérieure, cette virginité qui en fait un être autonome, n'obéissant qu'à Dieu, cette force aussi qui va de pair avec la prudence et donne à son action un pouvoir décisif.

Ce qu'elle ne pouvait savoir, c'est que Jeanne, dans sa rapide et fulgurante carrière, serait victime des mêmes ennemis qu'elle avait combattus elle, Christine.

Dans les *Heures de contemplation* écrites aux jours de grande détresse, elle s'était écriée : « Oh ! patiente souffrance, vertu de femme ; sur toutes les constances humaines bien ici te démontras » ; elle parlait alors de la Vierge au Calvaire. Mais sa méditation s'applique parfaitement au second volet de la vie publique de Jeanne d'Arc, cette année de prison qui se terminera sur le bûcher, année de « patiente souffrance » pendant laquelle l'ennemi qui s'attaque à Jeanne n'est autre que l'université de Paris, instrument du roi d'Angleterre il est vrai, mais instrument qui se voulait lui-même d'une redoutable efficacité.

Ils étaient bien les dignes successeurs des Jean de Montreuil, des Gontier Col et des Jean Petit, ce Jean Beaupère ou ce Thomas de Courcelles qui s'acharnaient sur une simple fille à l'instigation de Pierre Cauchon. Les universitaires parisiens avaient contre elle manifesté leur hostilité dès ses premières victoires. Publiquement puisqu'on en trouve des échos jusque dans les correspondances italiennes parvenues à Venise et réunies dans la chronique de Morosini. « L'université de Paris, ou pour mieux dire les ennemis du roi, ont envoyé à Rome près du pape pour accuser la Pucelle d'hérésie, elle et ceux qui croient en elle ». Six mois plus tard, dès le moment où ils apprennent qu'elle a été faite prisonnière à Compiègne, ces universitaires parisiens se réunissent, le 26 mai 1430, demandant au duc de Bourgogne dont elle est désormais la captive, au nom de l'inquisiteur de France, que Jeanne leur soit livrée; demande réitérée le 14 juillet suivant, adressée cette fois tant au duc de Bourgogne qu'à Jean de Luxembourg qui hésitait encore à remettre la captive entre les mains du roi d'Angleterre. Pierre Cauchon qui allait se charger des transactions et porter lui-même la rançon de Jeanne était tout désigné pour prendre en main son exécution; recteur de l'université dès la date de 1403, il avait pris la part personnelle la plus active aux menées du duc de Bourgogne et aux événements parisiens, tant en 1413 au moment de l'Ordonnance cabochienne qu'en 1418 lors de l'entrée de Jean sans Peur à Paris; il avait alors obtenu un siège au Parlement; et plus encore en

1420 dans l'élaboration du traité de Troyes; ses bons
offices à l'époque lui avaient valu en remerciement
l'évêché de Beauvais et Philippe le Bon avait tenu à
assister en personne à son intronisation. A confondre
Jeanne la Pucelle il mettait donc l'amour-propre de
l'intellectuel qui a bâti un système de pensée et de
politique et l'a vu tout près d'être réalisé, lorsque cette
fille ignorante, cette paysanne illettrée s'est littéralement
mise en travers et l'a fait échouer.

Il y aura beaucoup de cette rancune antiféministe dans
les attaques des docteurs de l'université de Paris lors du
procès de condamnation. Six d'entre eux avaient été
délégués par l'*Alma Mater* spécialement pour suivre le
procès de Jeanne à Rouen; où d'ailleurs la plupart des
assesseurs dont Cauchon s'entourait étaient comme lui
formés par le digne corps. Et l'on en sent comme le
lointain relent dans la réflexion de Jean Beaupère à
propos de Jeanne : « Elle était bien subtile, de subtilité
appartenant à femme. » Cette fille de dix-neuf ans dont
les réponses désarmaient les doctes maîtres et qui leur
criait insolemment : « Toute lumière ne vient pas que
pour vous ! »

Ainsi au terme de la longue lutte à laquelle ils
espéraient, à Rouen, mettre fin dans le sens favorable à
leur cause, en écartant celle qui s'était dressée seule et se
retrouvait à présent seule entre leurs mains, les universitaires parisiens retrouvaient-ils des ennemis familiers.
Car, curieusement, Pierre Cauchon s'était jadis opposé en
personne à Jean Gerson lors des luttes qui divisaient les
théologiens au moment du Grand Schisme. Gerson avait

commencé sa carrière d'orateur par un sermon consacré à
saint Louis, roi de France ; il avait agi pour faire
condamner un Jean Petit lorsqu'il justifiait le crime du
duc de Bourgogne ; Pierre Cauchon, lui, avait noué des
relations avec Jean Chuffart, le confesseur de la reine
Isabeau, afin d'influer sur elle dans le sens des thèses
bourguignonnes : tout un quart de siècle, vingt-cinq ans
d'hostilité ouverte ou de lutte d'influence, trouvaient leur
dénouement dans le bûcher de Rouen. En affectant de
condamner pour hérésie cette fille qui demeurait détenue
comme prisonnière de guerre, gardée par des geôliers
anglais, Cauchon lui aussi jouait auprès de l'occupant ce
rôle du juriste qui donne une couleur de droit à la
vengeance personnelle ou — déjà ! — nationale.

De toutes ces luttes, Christine avait été, au long de sa
propre existence, le témoin non seulement avisé, mais
engagé. Morte dans la joie de la victoire, elle n'en avait
pas moins pressenti le prix qu'il en coûterait à la « Pucelle
bien heurée » lorsqu'elle traçait le portrait de la femme
souffrante : « Dame du monde qui passez en ce siècle par
le chemin de tribulation en maintes adversités, mirez-
vous, écrivait-elle (regardez-vous comme en un miroir),
en la patience de cette très glorieuse Dame, et vous aurez
cause de porter vos douleurs patiemment... » Cette
Dame, c'était Notre-Dame, la Vierge à laquelle elle
s'adressait ensuite : « La très grande vertu dont tu étais
pleine te défendait et gardait qu'un tout seul brin
d'impatience ne fût en ton courage... Et tant était ta
douleur plus grande comme en toi, plus la conservait. » Il
y a là déjà, si l'on rapproche ces pages de méditation

poignantes du personnage de Jeanne, comme l'avant-
projet d'un autre poème, celui qui, en notre temps, devait
évoquer l'héroïne comme :

La fille la plus sainte après Sainte Marie.

Au demeurant, les victoires de Jeanne ont dans l'immé-
diat porté leurs fruits selon ce que contenait le *Ditié* de
Christine. Et le martyre même de Jeanne à Rouen
(« J'appelle cela martyre pour la peine et tribulation que
je souffre en prison et ne sais si j'en souffrirai de plus
grande, mais je m'en remets du tout à Notre Seigneur »)
n'a marqué pour ses ennemis qu'un sinistre triomphe,
tout momentané, tandis qu'il assurait pour la vie et
l'éternité la grandeur de Jeanne en consignant par écrit,
dans des documents irréfutables puisque conçus par ses
ennemis et mis au point par eux-mêmes, des réponses
qui, quatre siècles plus tard, lorsqu'elles ont été connues,
publiées, traduites, ont consacré le personnage mieux que
n'importe quel panégyrique et fait de Jeanne la Pucelle la
figure de libération par excellence, mieux comprise en
notre vingtième siècle qu'elle ne le fut jamais.

Et l'on peut conclure comme l'a fait avant nous une
autre spécialiste de la poétesse, par une phrase de
Christine de Pisan qui s'applique autant à elle qu'à
l'héroïne célébrée dans son dernier poème : « Après ta
mort viendra le prince plein de valeur et sagesse qui par la
relation de tes volumes désirera tes jours avoir été de son
temps, et par grand désir souhaitera t'avoir vue [1]. »

1. Liliane DULAC, *le Ditié de Jeanne d'Arc*, p. 129.

POUR MIEUX CONNAÎTRE
CHRISTINE DE PISAN

L'édition complète des œuvres poétiques de Christine de Pisan a été faite par :
Roy, Maurice, Paris, Société des anciens textes français, 1886-1896, 3 vol. in-8°.

Pour ses œuvres en prose, voir principalement :
Solente, Suzanne, *le Livre des faits et bonnes mœurs du sage roi Charles V*. Paris, Champion, 1936-1941, 2 vol. in-8°.
Laigle, Mathilde, *le Livre des trois vertus et son milieu politique et littéraire*, Paris, 1912, in-8°.
Towner, Sister Marie-Louise, *l'Avision Christine*, Washington, Catholic University of America, 1932, in-8°.
Lucas, Robert H., *le Livre du corps de policie*, Genève, Droz, 1967, in-8°.
Willard, Charity Cannon, *le Livre de la Paix*, La Haye, 1958.
Le Livre des faits d'armes et de chevalerie n'est encore accessible que dans l'édition anglaise de la traduction due à William Caxton :
Byles, A.T.P., *The Book of Fayttes of Armes and of Chyvalrye*, Londres, Oxford University Press, 1937, in-8°.
En revanche, S. Solente a réédité *le Livre de Mutacion de Fortune* pour la Société des anciens textes français, Paris, 1959-1964, 3 v. in-8°.
Le Ditié de Jehanne d'Arc a été réédité par Kennedy, Angus J. et Varty, Kenneth dans Medium Aevum Monographs, New Series IX, Oxford, 1977, in-8°.

L'ensemble des textes concernant la querelle sur *le Roman de la Rose* a été édité par Hicks, Eric, *le Débat sur le Roman de la Rose*, dans Bibliothèque du xvᵉ siècle, XLIII, Paris, Champion, 1977, in-8°.

On consultera avec profit :

PINET, Marie-Josèphe, *Christine de Pisan*, 1364-1430, Etude biographique et littéraire, Paris, 1927, in-8°.

SOLENTE, S., *Christine de Pisan*, Extrait de l'Histoire littéraire de la France, Paris, Klinksieck, 1969.

RIGAUD, Rose, *Les idées féministes de Christine de Pisan*, Genève 1973, thèse datant de 1911.

GABRIEL, Can. Astrik, *The educational ideas of Christin de Pisan*, 1955.

Pour l'arrière-plan de l'époque, se reporter à :

CONTAMINE, Philippe, *Guerre, Etat et société à la fin du Moyen Age*, Paris, Mouton, 1972.

McLEOD, Enid, *The Quarrel of the rose*, Oxford, 1980.

Une série d'études très remarquables sur Christine est celle de :

DULAC, Liliane, Un écrit militant de Christine de Pisan, *le Ditié de Jehanne d'Arc*, Dans Women in the Middle Ages, Contributions au Symposium Ste Gertrude, Copenhagul, 1978. Ed. B. Carle, Gyldendal. 1980.

— *Inspiration mystique et savoir politique : les conseils aux veuves* chez Francesco da Barberino et chez Christine de Pisan.

— *Mélanges à la mémoire de Franco Simone*, Genève, Slatkine, 1980. *Christine de Pisan et le malheur des « vrais amans »* dans Mélanges Pierre Le Gentil, Paris, S.E.D.E.S., 1973.

— Un mythe didactique chez Christine de Pisan : *Sémiramis ou la Veuve héroïque* dans Mélanges Charles Camproux, Montpellier, 1978.

Nous devons beaucoup aux analyses très pénétrantes de L. DULAC.
Signalons aussi les études si érudites du très regretté Yann GRANDEAU, notamment sur *l'Itinéraire d'Isabeau de Bavière*, dans Bulletin philologique et historique du Comité des Travaux historiques, B.N. 1967 — Et aussi sa dernière œuvre : *Isabeau de Bavière ou l'amour conjugal*, dans Actes du 102e Congrès national des sociétés savantes, Paris, B.N. 1979.

Les correspondances des facteurs de la Maison Datini de Prato ont été publiées par :

BRUN, Robert dans *les Mémoires de l'Institut historique de Provence*, T. XII, 1935 à T. XV, 1938, Marseille.

ARBRES GÉNÉALOGIQUES
DE LA MAISON DE FRANCE
ET DE LA MAISON DE BOURGOGNE

MAISON DE FRANCE

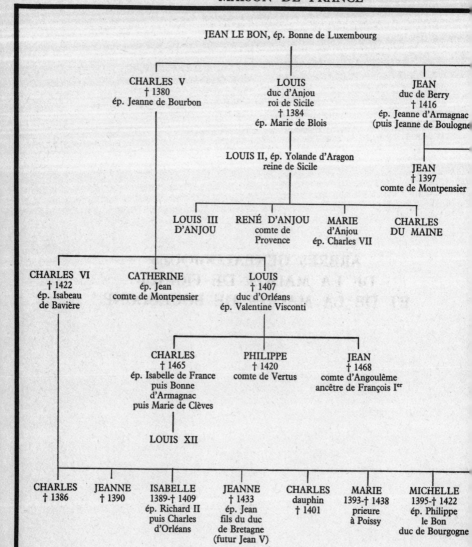

JEAN LE BON, ép. Bonne de Luxembourg

CHARLES V
† 1380
ép. Jeanne de Bourbon

LOUIS
duc d'Anjou
roi de Sicile
† 1384
ép. Marie de Blois

JEAN
duc de Berry
† 1416
ép. Jeanne d'Armagnac
(puis Jeanne de Boulogne)

LOUIS II, ép. Yolande d'Aragon
reine de Sicile

JEAN
† 1397
comte de Montpensier

LOUIS III
D'ANJOU

RENÉ D'ANJOU
comte de
Provence

MARIE
d'Anjou
ép. Charles VII

CHARLES
DU MAINE

CHARLES VI
† 1422
ép. Isabeau
de Bavière

CATHERINE
ép. Jean
comte de Montpensier

LOUIS
† 1407
duc d'Orléans
ép. Valentine Visconti

CHARLES
† 1465
ép. Isabelle de France
puis Bonne
d'Armagnac
puis Marie de Clèves

PHILIPPE
† 1420
comte de Vertus

JEAN
† 1468
comte d'Angoulême
ancêtre de François Ier

LOUIS XII

CHARLES
† 1386

JEANNE
† 1390

ISABELLE
1389-† 1409
ép. Richard II
puis Charles
d'Orléans

JEANNE
† 1433
ép. Jean
fils du duc
de Bretagne
(futur Jean V)

CHARLES
dauphin
† 1401

MARIE
1393-† 1438
prieure
à Poissy

MICHELLE
1395-† 1422
ép. Philippe
le Bon
duc de Bourgogne

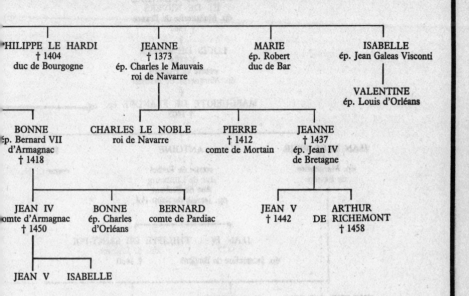

PHILIPPE LE HARDI
† 1404
duc de Bourgogne

JEANNE
† 1373
ép. Charles le Mauvais
roi de Navarre

MARIE
ép. Robert
duc de Bar

ISABELLE
ép. Jean Galeas Visconti

VALENTINE
ép. Louis d'Orléans

BONNE
ép. Bernard VII
d'Armagnac
† 1418

CHARLES LE NOBLE
roi de Navarre

PIERRE
† 1412
comte de Mortain

JEANNE
† 1437
ép. Jean IV
de Bretagne

JEAN IV
comte d'Armagnac
† 1450

BONNE
ép. Charles
d'Orléans

BERNARD
comte de Pardiac

JEAN V
† 1442

ARTHUR
DE RICHEMONT
† 1458

JEAN V   ISABELLE

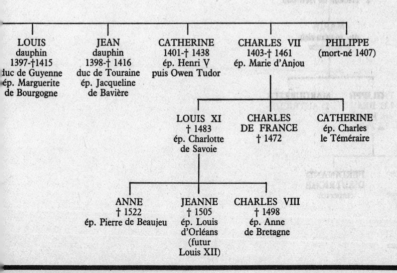

LOUIS
dauphin
1397-†1415
duc de Guyenne
ép. Marguerite
de Bourgogne

JEAN
dauphin
1398-† 1416
duc de Touraine
ép. Jacqueline
de Bavière

CATHERINE
1401-† 1438
ép. Henri V
puis Owen Tudor

CHARLES VII
1403-† 1461
ép. Marie d'Anjou

PHILIPPE
(mort-né 1407)

LOUIS XI
† 1483
ép. Charlotte
de Savoie

CHARLES
DE FRANCE
† 1472

CATHERINE
ép. Charles
le Téméraire

ANNE
† 1522
ép. Pierre de Beaujeu

JEANNE
† 1505
ép. Louis
d'Orléans
(futur
Louis XII)

CHARLES VIII
† 1498
ép. Anne
de Bretagne

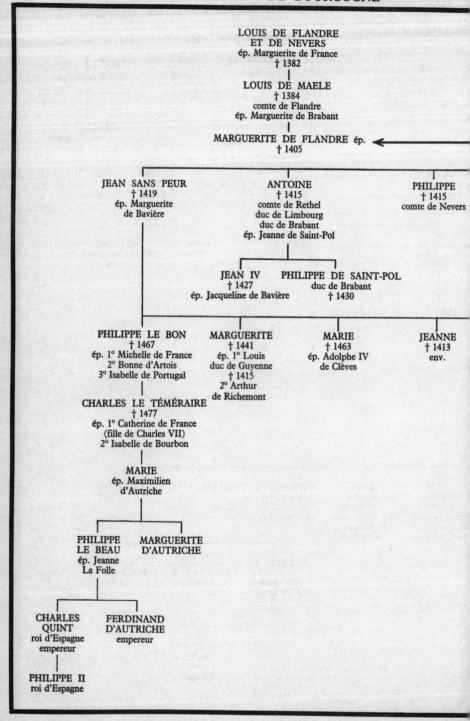

LOUIS DE FLANDRE
ET DE NEVERS
ép. Marguerite de France
† 1382

LOUIS DE MAELE
† 1384
comte de Flandre
ép. Marguerite de Brabant

MARGUERITE DE FLANDRE ép. ←
† 1405

JEAN SANS PEUR
† 1419
ép. Marguerite
de Bavière

ANTOINE
† 1415
comte de Rethel
duc de Limbourg
duc de Brabant
ép. Jeanne de Saint-Pol

PHILIPPE
† 1415
comte de Nevers

JEAN IV
† 1427
ép. Jacqueline de Bavière

PHILIPPE DE SAINT-POL
duc de Brabant
† 1430

PHILIPPE LE BON
† 1467
ép. 1° Michelle de France
2° Bonne d'Artois
3° Isabelle de Portugal

MARGUERITE
† 1441
ép. 1° Louis
duc de Guyenne
† 1415
2° Arthur
de Richemont

MARIE
† 1463
ép. Adolphe IV
de Clèves

JEANNE
† 1413
env.

CHARLES LE TÉMÉRAIRE
† 1477
ép. 1° Catherine de France
(fille de Charles VII)
2° Isabelle de Bourbon

MARIE
ép. Maximilien
d'Autriche

PHILIPPE
LE BEAU
ép. Jeanne
La Folle

MARGUERITE
D'AUTRICHE

CHARLES
QUINT
roi d'Espagne
empereur

FERDINAND
D'AUTRICHE
empereur

PHILIPPE II
roi d'Espagne

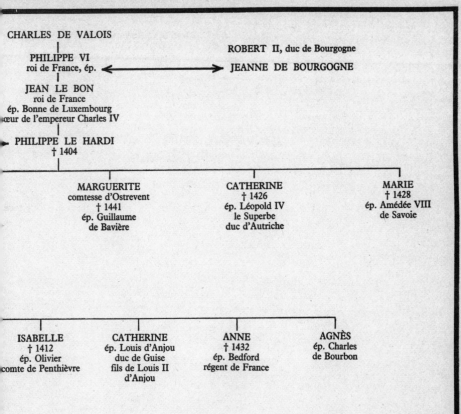

CHARLES DE VALOIS

PHILIPPE VI
roi de France, ép. ⟷ ROBERT II, duc de Bourgogne

JEANNE DE BOURGOGNE

JEAN LE BON
roi de France
ép. Bonne de Luxembourg
sœur de l'empereur Charles IV

PHILIPPE LE HARDI
† 1404

MARGUERITE
comtesse d'Ostrevent
† 1441
ép. Guillaume
de Bavière

CATHERINE
† 1426
ép. Léopold IV
le Superbe
duc d'Autriche

MARIE
† 1428
ép. Amédée VIII
de Savoie

ISABELLE
† 1412
ép. Olivier
comte de Penthièvre

CATHERINE
ép. Louis d'Anjou
duc de Guise
fils de Louis II
d'Anjou

ANNE
† 1432
ép. Bedford
régent de France

AGNÈS
ép. Charles
de Bourbon

TABLE DES MATIÈRES

Achevé d'imprimer en mai 1982
sur presse CAMERON,
dans les ateliers de la S.E.P.C.
à Saint-Amand-Montrond (Cher)
pour le compte des Éditions Calmann-Lévy
3, rue Auber, Paris 9ᵉ
Nᵒ d'éditeur : 10915.
Nᵒ d'imprimeur : 934/583.
Dépôt légal : mai 1982.